Fonética, entonación y ortografía

Alfredo González Hermoso
Carlos Romero Dueñas

GRUPO DIDASCALIA, S.A.
Plaza Ciudad de Salta, 3 - 28043 MADRID - (ESPAÑA)
TEL.: (34) 914.165.511 - (34) 915.106.710
FAX: (34) 914.165.411
e-mail: edelsa@edelsa.es - www.edelsa.es

Primera edición: 2002

© Edelsa Grupo Didascalia, S.A. Madrid, 2002

Dirección y coordinación editorial: Departamento de Edición de Edelsa.
Diseño de cubierta: Departamento de Imagen de Edelsa.
Diagramación: Carolina García González.
Imprenta: Rógar
Encuadernación: Perellón

Ilustraciones: Gustavo Sáinz de Medrano.

ISBN: 84-7711-511-7
Depósito legal: M-20367-2002

Impreso en España
Printed in Spain

¿Por qué la enseñanza de la pronunciación ha sido uno de los aspectos menos tratados en el aprendizaje del español como lengua extranjera? Las causas debemos buscarlas en que, a menudo, se piensa que el español es una lengua transparente, pues la correspondencia entre la ortografía y la pronunciación es casi completa; o que, simplemente, el español es una lengua fácil de pronunciar.

Sin embargo, muchos son los problemas que dificultan la buena pronunciación y comprensión del español: la pronunciación de los fonemas específicos del español, la diversidad de enlaces de palabra, la dificultad de reconocer los grupos fónicos o la necesidad de darle a la frase la entonación adecuada.

Asistimos en la actualidad a una toma de conciencia de este hecho, y de la necesidad de materiales de fonética, entonación y su correlato escrito, ortografía, prácticamente inexistentes en el mercado. Un material así es el que ofrecemos en nuestro curso *Fonética, entonación y ortografía*, que aúna en cada capítulo reglas claras y precisas de pronunciación o entonación, con ejercicios progresivos que van desde el reconocimiento e identificación de los sonidos vocálicos y consonánticos, tanto aislados como en contexto, hasta la enseñanza del ritmo y la entonación, pasando por la producción de todo ello a través de prácticas de repetición y discriminación.

Los capítulos 1 a 21 están dedicados a las vocales y consonantes. A partir de una sencilla descripción y visualización del sonido, se ejercita con prácticas de audición y repetición, de discriminación y de enlaces de palabras.

En los capítulos 22 al 28 se trabaja el acento de intensidad, el ritmo y las formas entonativas del español (de la palabra, del grupo fónico y de la frase) con sus correspondientes ejercicios.

Al final de cada capítulo se incluyen diálogos, trabalenguas o textos literarios para contextualizar los contenidos.

Por último no nos olvidamos de la ortografía. Si bien no se pretende ofrecer una exhaustiva revisión de las reglas ortográficas, a lo largo de todos los capítulos aparecen notas y cuadros de ortografía.

Este curso se ha concebido tanto para trabajar en el aula, como en autonomía. Por ello, es importante destacar que el planteamiento lineal de los ejercicios no impide que se puedan ir seleccionando aquéllos que el profesor en el aula o el propio estudiante considere oportunos.

Se incluyen las claves de todos los ejercicios en las páginas finales.

Los autores

Fonética, entonación y ortografía

ÍNDICE

Capítulo 1

Las vocales fuertes o abiertas

Cuadro A

- Las vocales fuertes o abiertas son tres: **a** /a/ **e** /e/ **o** /o/

- abertura máxima: **a**

- abertura media: **e, o**

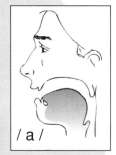 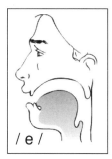 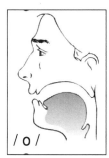

/ a / / e / / o /

- La vocal que suena más dentro de una palabra se llama **tónica**. Las demás son **átonas**:

        a: la, papa, habla, cama, patata

        e: el, fe, tele, eleve, bésele

        o: lo, sol, moto, todo, cómodo

 1. Escuche y repita:

1	Toledo	*3*	este	*5*	agosto	*7*	sábado
2	teléfono	*4*	Panamá	*6*	mano	*8*	fondo

 2. Escuche otra vez las palabras anteriores y subraye la vocal tónica.

 3. Subraye la palabra que no escuche:

a)	saca	**saque**	saco	*d)*	Paco	peco	poco
b)	bala	vela	bola	*e)*	envenena	envenene	enveneno
c)	cabello	caballa	caballo	*f)*	manos	monos	menos

Fonética, entonación y ortografía

5

4. Contraste *a, e, o*. Escuche y marque la palabra que oiga:

a)	◯ pesa	*d)*	◯ beca	*g)*	◯ seco
	⊗ pasa		◯ vaca		◯ saco
b)	◯ pela	*e)*	◯ sala	*h)*	◯ tomo
	◯ pelo		◯ sola		◯ temo
c)	◯ beso	*f)*	◯ cose	*i)*	◯ bollo
	◯ besa		◯ cosa		◯ bello

5. Una las palabras en el orden en que las escuche. Alguna puede repetirse:

•mesa ⟵ •pata •ala •gato •botella •salto

•llave •cola •secado •delante •sábana

•boca •vaca •saco •salte •manta

¿Qué palabra puede leerse al unir todas las flechas?

Cuadro B

Dos vocales fuertes diferentes en contacto dentro de una palabra

• Se suelen pronunciar en una sola sílaba en el lenguaje rápido y conversacional:

   cao-ba   *le**ón***   *al-m**oha**-da*   *p**oe**-ma*   *so-l**ea**-do*

• Esto es más claro si la sílaba es átona:

   *al-m**oha**-dón*   ***aho**-ga-do*   *p**oe**-ti-sa*   *p**eo**-na-da*

Dos vocales fuertes iguales en contacto dentro de una palabra

• Se pronuncian como una sola vocal en el lenguaje rápido y conversacional:

   aa: *A**a**rón* -------------------- *a-rón*
   ee: *pr**ee**minente* ----------- *pr**e**-mi-nen-te*
   oo: *c**oo**perar* ----------------- *c**o**-pe-rar*

• Esto no pasa:

- En la pronunciación lenta y cuidada: *A-a-rón, pre-e-mi-nen-te, co-o–pe-rar*.
- Si una de las vocales es tónica: *a-za-har, cre-en-cia, al-co-hol, mo-ho-so*.
- Si la segunda vocal pertenece a una terminación verbal: *l**e-e**r, pe-**le-e**-mos*.

6. Escuche y repita:

1	poseo	*3*	vaho	*5*	oeste	*7*	sea
2	aéreo	*4*	ahora	*6*	leo	*8*	caos

 7. Escuche y repita:

1	desee	*3*	Aarón	*5*	costee	*7*	creencia
2	alcohol	*4*	paseemos	*6*	cooperar	*8*	zoología

 8. Escuche y complete con una de las vocales (*a, e, o*):

1	*mareo*	5	__mpl__ __
2	b__c__l__ __	6	__sc__s__ __
3	p__ __ll__	7	p__ __t__n__s
4	s__l__ __d__	8	t__p__ __

 9. ¿Qué escucha usted? Marque la casilla correcta:

		Una sola vocal	Una vocal larga
1	preeminente	X	
2	albahaca		
3	moho		
4	dehesa		
5	leer		
6	rehecho		
7	azahar		
8	neerlandés		

10. Escuche y repita cada par de palabras:

1	tutee	tute
2	pasee	pase
3	costee	coste
4	azahar	azar

 11. Subraye la palabra que oiga en estas frases:

1	tutee / **tute**
2	pasee / pase
3	costee / coste
4	azahar / azar

Cuadro C

Dos vocales fuertes diferentes en contacto entre palabras

● Una de las características del español es el enlace de dos palabras formando una sílaba a partir de la última vocal de una palabra y la primera de la siguiente. A esto se le llama **sinalefa**:

ea: *me alegro* ---------- *mea-le-gro*

ae: *está en todo* ------- *es-táen-to-do*

oe: *no es ella* --------- *noe-se-lla*

eo: *este oso* ---------- *es-teo-so*

ao: *para Olga* --------- *pa-raol-ga*

oa: *no ha venido* ------- *noa-ve-ni-do*

Nota: La h al principio de una palabra no impide la sinalefa.

 12. Escuche y repita:

1	la espada	*3*	la orden	*5*	¿cómo estás?
2	pude hacerlo	*4*	toma otro	*6*	¡cómo eres!

13. Subraye las vocales que se unen entre palabras:

1 ¿qu**é h**ago?   *4* eso es todo   *7* vino a mi casa

2 tengo hambre   *5* esa es otra   *8* tómate algo

3 te ha venido a ver   *6* no hace falta   *9* no te oye Ana

 14. Escuche y marque la expresión que oiga:

a) ⊗ Lo he visto   ○ Lo visto

b) ○ Vine a verte   ○ Vino a verte

c) ○ Lo hago   ○ Lo ahogo

d) ○ Tomo algo   ○ Tome algo

e) ○ Se lo he pintado   ○ Se lo ha pintado

f) ○ No he sido   ○ No ha sido

Cuadro D

Dos vocales fuertes iguales en contacto entre palabras

• Se pronuncian como una sola vocal en el lenguaje rápido y conversacional:

aa: *para Alfonso* -------------- *pa-ral-fon-so*
ee: *sabe el camino* ----------- *sa-bel-ca-mi-no*
oo: *todo olvidado* ------------ *to-dol-vi-da-do*

• Esto no pasa:
- Si una de las vocales es tónica:
 para Ana: pa-ra-A-na
 quedó olvidado: que-dó-ol-vi-da-do

- Si la unión en una sola vocal causa ambigüedad:
 la normalidad / la anormalidad

15. Escuche y repita:

1	La Habana	4	lo olímpico	7	este hematoma
2	está amable	5	come en casa	8	eso otro
3	dame éste	6	toma algo	9	entre ellos

16. Escuche y separe las palabras que aparecen unidas:

1 únicaalma: .... *única alma* ....

2 miréelbalón: ....

3 ¿dóndeestás?: ....

4 tengoocho: ....

5 pasaaquí: ....

6 vaacasa: ....

7 ¿quéesesto?: ....

17. Marque las frases o palabras con 1 ó 2 según el orden en que las escuche:

a) ② ¡Qué elegantes!
   ① ¡Qué elegante es!

b) ◯ Lo ha acabado
   ◯ Lo acabado

c) ◯ He entendido
   ◯ Entendido

d) ◯ Poco oculto
   ◯ Poco culto

e) ◯ Nos vemos
   ◯ No os vemos

f) ◯ La venida
   ◯ La avenida

18. Subraye la palabra que oiga en cada frase:

1 normalidad / **anormalidad**

2 bandera / abandera

3 negar / anegar

4 moción / emoción

5 beso / obeso

19. Las siguientes frases se oyen dos veces: una en lenguaje formal y otra en lenguaje conversacional. Marque 1 ó 2 según el orden de la grabación:

a) Le he visto	① le-he-vis-to	② le-vis-to
b) Te he dicho	◯ te-he-di-cho	◯ te-di-cho
c) Lo olvidé	◯ lo-ol-vi-dé	◯ lol-vi-dé
d) Va a hablar	◯ va-a-ha-blar	◯ va-blar
e) Ese es	◯ e-se-es	◯ e-ses

Cuadro E

● En lenguaje rápido y conversacional los participios terminados en **–ado** pierden la **d**. (Ver Capítulo 17). El grupo **ao** se pronuncia en una sola sílaba con una **o** muy débil:

*habl**ado**: ha-bl**ao***
*cant**ado**: can-t**ao***
*lav**ado**: la-v**ao***

 20. Marque con una cruz qué oye: *a, o, ao*:

	a	o	ao		a	o	ao		a	o	ao
1	◯	◯	⊗	*4*	◯	◯	◯	*7*	◯	◯	◯
2	◯	◯	◯	*5*	◯	◯	◯	*8*	◯	◯	◯
3	◯	◯	◯	*6*	◯	◯	◯	*9*	◯	◯	◯

 21. Marque con una cruz si oye *ado* (lenguaje formal) o *ao* (lenguaje conversacional):

	ado	ao		ado	ao		ado	ao		ado	ao
1	◯	⊗	*3*	◯	◯	*5*	◯	◯	*7*	◯	◯
2	◯	◯	*4*	◯	◯	*6*	◯	◯	*8*	◯	◯

Fonética, entonación y ortografía

22. Algunas de las siguientes frases están pronunciadas en lenguaje conversacional. Márquelas:

1 ⊗ Ya ha llegado la hora

2 ◯ Me he tomado otra copa

3 ◯ Ana me ha hablado de ti

4 ◯ No os he llamado hoy

DIÁLOGO 1: Presentación

 Escuche y marque las sinalefas en las que se pronuncie una sola vocal:

A. ¿Me entiende?

B. *Sí, yo hablo español.*

A. Me llamo Olga Ávila.

B. *Hola, encantado, yo Óscar Smith.*

A. ¿Se escribe así?

B. *Eso es.*

A. ¿De dónde es?

B. *De Escocia.*

A. Adelante, espere allí sentado.

B. *Gracias, hasta ahora.*

Escuche otra vez y repita las frases del interlocutor B.

Capítulo 2
Las vocales débiles o cerradas

Cuadro A

- Las vocales débiles o cerradas son dos: **i** /i/ **u** /u/

    - abertura mínima: **i**
    - abertura mínima: **u**

- Estas vocales también pueden ser **átonas** o **tónicas**:

    i: *y*, *mi*, *sí*, *ni*, *ti*, *ibis*, *dividir*
    u: *tu*, *su*, *un mus*, *cucú*

*La conjunción **y** se pronuncia /**i**/.*

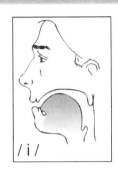

/ i /

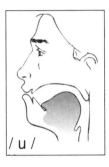

/ u /

 1. Escuche y repita:

1	vi	*4*	difícil	*7*	subid
2	su	*5*	mus	*8*	cubrí
3	fin	*6*	U.C.I.	*9*	cursi

 2. Escuche y repita:

1	tururú	*3*	tutú	*5*	cururú	*7*	útil
2	quiquiriquí	*4*	iglú	*6*	iris	*8*	hindú

Fonética, entonación y ortografía

3. No confunda _i_ con _e_. Marque la palabra que oiga:

a) ⊗ vivo   d) ◯ mito   g) ◯ piso

    ◯ bebo   ◯ meto   ◯ peso

b) ◯ tila   e) ◯ tintado   h) ◯ quiso

    ◯ tela   ◯ tentado   ◯ queso

c) ◯ misa   f) ◯ pico   i) ◯ pisada

    ◯ mesa   ◯ peco   ◯ pesada

 4. No confunda _u_ con _o_. Marque la palabra que oiga:

a) ⊗ Cuba   d) ◯ puse   g) ◯ asumo

    ◯ coba   ◯ pose   ◯ asomo

b) ◯ sube   e) ◯ Buda   h) ◯ puso

    ◯ sobe   ◯ boda   ◯ poso

c) ◯ Lucas   f) ◯ burla   i) ◯ luna

    ◯ locas   ◯ borla   ◯ lona

5. Escuche y complete con una de las vocales: _i, u_:

1 _uso_   3 as__   5 m__n__to   7 d__f__c__l

2 l__na   4 c__t__s   6 __l__m__no   8 v__da

Cuadro B

Dos vocales débiles diferentes en contacto dentro de una palabra
- Normalmente forman un diptongo (ver Capítulo 3).

Dos vocales débiles iguales en contacto dentro de una palabra
- En español hay muy pocas palabras con dos vocales débiles iguales juntas, y además de muy poco uso:

ant**ihi**stamínico

Dos vocales débiles diferentes en contacto entre palabras

● Recuerde que la **sinalefa** es el enlace de dos palabras formando una sílaba a partir de la última vocal de la primera palabra y la primera vocal de la siguiente palabra:

ui: *espíritu independiente* -------- *es-pí-ri-tuin-de-pen-dien-te*

iu: *ni una* --------- *niu-na*

6. Escuche y repita:

1	aquí usted	*5*	así utilizamos
2	taxi urgente	*6*	tu hija
3	tabú inca	*7*	ragú insípido
4	tú igual	*8*	casi humano

7. Subraye las vocales que se unen entre palabras:

1 es una trib**u i**ndígena   *4* cuida tu imagen   *7* no es de su interés

2 hago fu y se va   *5* mi hucha es ésta   *8* perdí una hora

3 así huye el cobarde   *6* si Úrsula está, llámala   *9* por allí huyó

8. Escuche y separe las palabras que aparecen unidas:

1 siustedlodice: .... *si usted lo dice* ....

2 élyunaamiga: ....

3 noesmiuniversidad: ....

4 tengocasiunmillón: ....

5 tuidealdehombre: ....

6 nohablosuidioma: ....

Fonética, entonación y ortografía

15

9. Marque la expresión que oiga en cada caso:

a) ⊗ Espíritu liberal ⬤ *d)* ◯ Este champú iba bien

◯ Espíritu iliberal ◯ Este champú va bien

b) ◯ Tu icono *e)* ◯ Ni unido

◯ Tu cono ◯ Nido

c) ◯ Un hindú irresponsable *f)* ◯ Aquí uno

◯ Un hindú responsable ◯ Aquí no

Cuadro D

Dos vocales débiles iguales en contacto entre palabras

● Se pronuncian como una sola vocal en el lenguaje rápido y conversacional:

ii: *casi imposible* --------- *ca-sim-po-si-ble*
uu: *tu uniforme* --------- *tu-ni-for-me*

● Esto no pasa si una de las vocales es tónica:

casi ídolo ------- *ca-si-í-do-lo*
su uña --------- *su-u-ña*

Nota de ortografía: la conjunción **y** pasa a **e** delante de palabras que empiezan por **i** o **hi** + **consonante**. *"madre e hija"* pero *"nieva y hiela"*

---

 10. Escuche y repita:

1 penalti injusto *4* tu úlcera *7* es un taxi inglés

2 mi ideal *5* mi champú usual *8* espíritu humilde

3 ni indio ni hindú *6* tisú usado *9* su hucha

11. Escuche y escriba las palabras que aparecen unidas:

1 venaquíinmediatamente: ..... *ven aquí inmediatamente* .....

2 túhuyesdemí: ....

3 unsíimpaciente: ....

4 esteesmiídolo: ....

5 espírituhumano: ....

6 ¡quécursiidea!: ....

 12. Subraye la expresión que oiga en estas frases:

1 así iba / **así va**   *4* el taxi iba / el taxi va

2 túnica / tu única   *5* su uva / suba

3 tu humano / tu mano   *6* safari legal / safari ilegal

13. Alargue progresivamente la frase:

a) Póngase el esquí

Póngase el esquí y la bota

Póngase el esquí y la bota ahora

b) Mantenga el coche

Mantenga el coche al ralentí

Mantenga el coche al ralentí un momento

c) No escriba

No escriba aquí

No escriba aquí ni intente hablar

d) Cuide

Cuide su ímpetu

Cuide su ímpetu impaciente

Fonética, entonación y ortografía

DIÁLOGO 2: ¿Dónde está?

Escuche y marque las sinalefas:

A. Perdón, ¿qué calle es ésta?

B. Avenida Alberti, esquina a Luna.

A. ¿Hay por aquí una oficina de turismo?

B. Sí, hijo, a su izquierda, en esta misma avenida.

A. ¿Está aquí cerca?

B. Sí, no es difícil, siga esta acera.

A. ¿Y un hipermercado abierto?

B. ¡Huy! Ni hipermercado ni nada. Ahora es pronto.

A. Gracias.

Escuche otra vez y repita las frases del interlocutor B.

Capítulo 3
El diptongo

- El **diptongo** es el conjunto de dos vocales que se pronuncian en una misma sílaba.

- Hay tres tipos de diptongos:
    1. Una vocal fuerte más una vocal débil:
    ai: *vais*   **ei:** *seis*   **oi:** *sois*
    au: *au*n   **eu:** *deuda*   **ou:** *Masn*o**u**

    2. Una vocal débil más una vocal fuerte:
    ia: *odia*   **ie:** *bien*   **io:** *Dios*
    ua: *agua*   **ue:** *fue*   **uo:** *antig*u**o**

    3. Dos vocales débiles:
    iu: *ciudad*   **ui:** *Luis*

- En el diptongo la vocal fuerte se pronuncia con más fuerza articulatoria. Si las dos vocales son débiles, es la segunda vocal la que se pronuncia con más fuerza.

Nota de ortografía: la **i** de los diptongos **ai**, **ei**, **oi** y **ui** se sustituye por **y** al final de palabra: **hay**, **ley**, **hoy**, **muy**.

 1. Escuche y repita insistiendo sobre la vocal fuerte o abierta:

1	*baile*	*3*	odiar	*5*	peine	*7*	tiene	*9*	piojo	*11*	voy
2	causa	*4*	guante	*6*	Ceuta	*8*	suelo	*10*	Salou	*12*	cuota

 2. Escuche y repita:

1	*viudo*	*3*	muy	*5*	ciudad
2	cuídate	*4*	Luisa	*6*	fui

Fonética, entonación y ortografía

19

3. Escuche y repita:

1	**ai:** baile / vale	*7*	**au:** aula / ala
2	**ia:** odia / oda	*8*	**ua:** agua / haga
3	**ei:** veinte / vente	*9*	**eu:** deudo / dedo
4	**ie:** bien / ven	*10*	**ue:** sueña / seña
5	**oi:** hoy / o	*11*	**ou:** Palou / palo
6	**io:** Dios / dos	*12*	**uo:** cuota / cota

4. Marque con 1 ó 2 según el orden en que oiga las palabras:

a) ① dais ② das *f)* ◯ huida ◯ ida

b) ◯ veis ◯ ves *g)* ◯ viuda ◯ Buda

c) ◯ ley ◯ lee *h)* ◯ pie ◯ pe

d) ◯ baila ◯ bala *i)* ◯ cielo ◯ celo

e) ◯ llueve ◯ lleve *j)* ◯ tapia ◯ tapa

5. Escuche y complete la frase con la palabra que falta:

1 El preso hizo un túnel para ......*huir*...... . (**huir / ir**)

2 Marta es estupenda, pero no es .... mejor amiga. (**muy / mi**)

3 Dice que .... a verte al salir de trabajar. (**huirá / irá**)

4 Me gusta más la falda .... (**Luisa / lisa**)

6. CONTRASTE DE DIPTONGOS
Escuche y complete con uno de los diptongos *ai* o *ia*:

1	*pai*sano	*5*	h__ __
2	d__ __blo	*6*	fer__ __
3	__ __re	*7*	Cel__ __
4	v__ __s	*8*	Ind__ __

7. Escuche y complete con uno de los diptongos *au* o *ua*:

1 c*ua*l   *3* ag__ __   *5* s__ __na   *7* c__ __ndo

2 L__ __ra   *4* g__ __po   *6* __ __la   *8* __ __to

8. Escuche y complete con uno de los diptongos *ei* o *ie*:

1 m*ie*l   *3* f__ __l   *5* r__ __na   *7* s__ __s

2 t__ __nda   *4* tr__ __nta   *6* l__ __   *8* b__ __n

9. Escuche y complete con uno de los diptongos *eu* o *ue*:

1 f*ue*go   *3* b__ __no   *5* c__ __rpo   *7* m__ __la

2 __ __ropa   *4* d__ __da   *6* s__ __dónimo   *8* __ __sebio

10. Escuche y complete con uno de los diptongos *oi* o *io*:

1 h*oy*   *3* s__ __   *5* ind__ __   *7* limp__ __

2 id__ __ma   *4* pat__ __   *6* gas__ __l   *8* __ __go

11. Escuche y complete con uno de los diptongos *ou* o *uo*:

1 c*uo*ta   *3* C__ __   *5* b__ __   *7* defect__ __so

2 mut__ __   *4* Sal__ __   *6* antig__ __   *8* contin__ __

12. Escuche y complete con uno de los diptongos *iu* o *ui*:

1 v*iu*da   *3* c__ __dadano   *5* grat__ __to   *7* L__ __sa

2 int__ __r   *4* tr__ __nfo   *6* d__ __rno   *8* ¡h__ __!

Fonética, entonación y ortografía

Cuadro B

● Según las nuevas normas de la *Ortografía de la lengua española* (1999), alguna de estas combinaciones vocálicas pueden pronunciarse en una o dos sílabas según el mayor o menor esmero en la pronunciación o el origen social o geográfico del hablante.

Por ejemplo, se puede pronunciar:

*incluido: in-cl**ui**-do / in-cl**u-i**-do*

*cruel: cr**ue**l / cr**u-e**l*

*suave: s**ua**-ve / s**u-a**-ve*

*ahí: **ahí** / **a-hi***

*Nota: la **h** intercalada entre dos vocales no impide que éstas formen diptongo, pues no representa ningún sonido en español: de-**sahu**-cio, **ahi**-ja-do.*

13. Escuche y repita primero despacio y después más rápidamente:

1 anual	*3* piano	*5* acuoso	*7* gorrión
2 diana	*4* viaje	*6* brioso	*8* diurno

14. Escuche y marque si el grupo vocálico se pronuncia en una sílaba o en dos:

	Una sílaba (diptongo)	Dos sílabas
1 aire	X	
2 desviado		X
3 cuarto	X	
4 puesto	X	
5 cuidado	X	
6 ciudad	X	
7 actuar		X
8 dial		X
9 prior		X
10 trueno	X	
11 suave		X
12 cruel		X

15. Oirá dos veces la misma palabra. Marque 1 ó 2 según el orden en que se pronuncia:

a) FLUIDO   ① flu-i-do   *c)* PROHIBIDO   ◯ pro-hi-bi-do
              ② flui-do   ◯ prohi-bi-do

b) ENVIADO ◯ en-vi-a-do *d)* INCLUIDO   ◯ in-clu-i-do
              ◯ en-via-do   ◯ in-clui-do

Cuadro C

● La **sinalefa** puede formar diptongos al unirse la última vocal de una palabra con la primera de la siguiente:

aquí es: a-quiés   *mi alma: mial-ma*
su hija: suhi-ja   *hombre ilustre: hom-brei-lus-tre*
tu abuela: tua-bue-la   *ni otro: nio-tro*

---

 16. Escuche y repita:

1 oferta interesante   *3* ¿qué hizo?   *5* para mí es igual
2 ésta y la otra   *4* se iba solo *6* allí os veo

 17. Marque con 1 ó 2 según el orden en que escuche:

a) ① Se iba a enterar   ② Se va a enterar
b) ◯ Si hubiese   ◯ Si viese
c) ◯ ¿Y ahora qué?   ◯ ¿Ahora qué?
d) ◯ Acto ilegal   ◯ Acto legal
e) ◯ Fecha ilimitada   ◯ Fecha limitada
f) ◯ Está ahí encima   ◯ Está encima
g) ◯ Éste iba bien   ◯ Éste va bien

Fonética, entonación y ortografía

18. Subraye lo que oiga:

1. Ya he terminado, <u>¿y ahora qué?</u> / ¿a hora qué?

2. El juez dijo que era un **acto ilegal** / **acto legal.**

3. Me dieron una **fecha ilimitada** / **fecha limitada** para devolver el dinero.

4. Tu libro **está ahí encima** / **está encima.**

5. Cuando lo vea **ese iba a enterar** / **se va a enterar.**

19. Escuche y separe las palabras que aparecen unidas:

1. deunladoaotro: .... *de un lado a otro* ....

2. entraysale: ....

3. billetedeidayvuelta: ....

4. eshijoúnico: ....

5. ¿estáaquíella?: ....

6. paraunoespoco: ....

20. Lea el texto y señale todas las uniones de vocales entre palabras:

–¿Sabéis la hora que es?

–No será tarde.

–Las siete dadas. Tú verás.

Miguel se incorporó.

–La propia hora de coger el tole y la media manta y subirnos para arriba.

–¿Pues no sabéis que hemos tenido hasta una peripecia?

–¿Qué os ha pasado?

–Los civiles, que nos pararon ahí detrás –contaba Mely–; que por lo visto no puede una circular como le da la gana. Que me pusiera algo por los hombros, el par de mamarrachos.

Rafael Sánchez Ferlosio. *El Jarama*

21. Clasifique las sinalefas del texto anterior en tres grupos:

Vocales iguales	Vocales fuertes	Diptongos
que es	*la hora*	*se incorporó*

DIÁLOGO 3: ¿Quedamos?

Escuche y marque las sinalefas que forman diptongos:

A. ¿Qué haces el viernes?

B. Tengo una cita con una amiga.

A. Es que mi hermano organiza una fiesta y te ha invitado.

B. ¿Y mi amiga?

A. Que venga también. No importa.

B. De acuerdo. ¿Y a qué hora empieza?

A. A las once y media.

B. Muy bien. Allí estaremos.

Escuche otra vez y repita las frases del interlocutor B.

Fonética, entonación y ortografía

Capítulo 4

La ruptura del diptongo*

Cuadro A

● El acento tónico es la mayor intensidad con la que se pronuncia una sílaba dentro de una palabra.

Se rompe el diptongo en dos sílabas distintas cuando el acento tónico cae en la vocal débil (**i, u**) y se pone un acento escrito o **tilde** sobre esta vocal débil:

María: Ma-rí-a　　　　　*confío: con-fí-o*　　　　　*flúor: flú-or*

*Nota: La ruptura del diptongo también se puede producir aunque haya **h** intercalada entre las dos vocales: ve-hí-cu-lo, bú-ho.*

---

 1. Escuche y repita:

1	país	*4*	tío	*7*	día	*10*	vehículo
2	prohíbo	*5*	oír	*8*	dúo	*11*	sitúa
3	ahí	*6*	María	*9*	búho	*12*	poesía

 2. Escuche y subraye las vocales débiles que tienen el acento tónico:

1	envío	*5*	diario	*9*	acentuó
2	Juan	*6*	confió	*10*	prohíbe
3	avería	*7*	situó	*11*	continuo
4	sentía	*8*	bahía	*12*	prohibir

---

* Aquí llamamos "ruptura del diptongo" a la separación en sílabas diferentes cuando al menos una de ellas es débil.

3. Escuche y complete las palabras con *ia* o con *ía*:

1	*mediodía*	*5*	histor___ ___
2	famil___ ___	*6*	cafeter___ ___
3	tranv___ ___	*7*	camb___ ___
4	espec___ ___l	*8*	tem___ ___

 4. Escuche y complete las palabras con *io* o con *ío*:

1	*confío*	*5*	auxil___ ___
2	fotograf___ ___	*6*	cop___ ___
3	env___ ___	*7*	estad___ ___
4	anunc___ ___	*8*	vac___ ___

 5. Escuche y ponga tilde sobre la vocal débil si lleva el acento tónico:

1	*acentuó*	*7*	estabais
2	continuo	*8*	baul
3	sonreis	*9*	mio
4	dais	*10*	rehuye
5	evacuo	*11*	cantasteis
6	pua	*12*	Antonia

 6. Marque 1 ó 2 según el orden en que se pronuncia:

a)	① seria	② sería	*f)*	◯ hacia	◯ hacía
b)	◯ envió	◯ envío	*g)*	◯ Escocia	◯ escocía
c)	◯ continuo	◯ continúo	*h)*	◯ varias	◯ varías
d)	◯ actúo	◯ actuó	*i)*	◯ cambie	◯ cambié
e)	◯ sabia	◯ sabía	*j)*	◯ estudie	◯ estudié

Fonética, entonación y ortografía

7. Marque la frase que oye:

a) ⊗ Actúo toda la noche   *c)* ○ Estudie mucho para el examen

    ○ Actuó toda la noche   ○ Estudié mucho para el examen

b) ○ Cambie el coche por uno nuevo   *d)* ○ Hacia las cinco

    ○ Cambié el coche por uno nuevo   ○ Hacía las cinco

8. Subraye las palabras en negrita que tienen ruptura de diptongo:

1   **<u>Sería</u>** mejor que no fueras tan **seria**.

2   Era muy **sabia** pero ella no lo **sabía.**

3   Te **envío** a tu casa lo que él me **envió** a mí.

4   A pesar del **continuo** ruido yo **continúo** aquí.

5   Hay **varias** maneras de hacerlo, pero tú no **varías** nunca.

9. Escriba el plural de estas palabras añadiendo la terminación -*es*:

singular	plural
1 marroquí	*marroquíes*
2 tabú	
3 hindú	
4 bambú	
5 sí	
6 iraquí	
7 u	
8 zulú	

10. Marque con una cruz la palabra que oiga:

a) ⊗ ley   ○ leí

b) ○ hoy   ○ oí

c) ○ rey   ○ reí

d) ○ ¡huy!   ○ huí

e) ○ hay   ○ ahí

 11. Escuche estos anuncios y escriba las tildes que faltan:

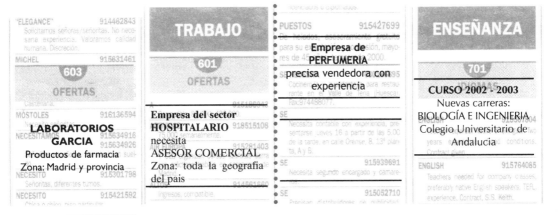

"ELEGANCE"   914462843
Solicitamos señoras/señoritas. No nece-
saria experiencia. Valoramos calidad
humana. Discreción.
MICHEL   915631461
603
OFERTAS
Castellana.
MÓSTOLES   916136594
LABORATORIOS
NECESITAMOS   915634916
GARCIA   915634926
Productos de farmacia
Zona: Madrid y provincia
NECESITO   915301798
Señoritas, diferentes turnos.
NECESITO   915421592
Chica o chico, poco particular.

TRABAJO
601
OFERTAS

Empresa del sector
HOSPITALARIO   918515108
necesita
ASESOR COMERCIAL
Zona: toda la geografia
del pais   914561660

PUESTOS   915427699
para su e   mayores de 45   2000.

Empresa de
PERFUMERIA
precisa vendedora con
experiencia
Fax:974488077.

SE
Necesita contable con experiencia, pre-
sentarse jueves 16 a partir de las 5.00
de la tarde, en calle Orense, 8, 13ª plan-
ta, A y B.
SE   915939691
Necesita segundo encargado y camare-

SE   915052710

ENSEÑANZA
701
CURSO 2002 - 2003
Nuevas carreras:
BIOLOGÍA E INGENIERIA
Colegio Universitario de
Andalucia

ENGLISH   915764085
Teachers needed for company classes,
preferably native English speakers. TEFL
experience. Contract. S.S. Keith.

Cuadro B

• A veces, también hay ruptura de diptongo aunque la vocal débil no sea la tónica. Por ejemplo, hay monosílabos que se pueden pronunciar en una sílaba o en dos según las regiones y los registros de uso:

lio: **li**o / li-**ó**   guio: gu**i**o / gui-**ó**   hui: h**ui** / hu-**í**

Estas palabras se pueden escribir sin tilde (diptongo) o con tilde (ruptura del diptongo).

• Pero estas palabras no deben confundirse con los casos en que la vocal tónica es la débil, que lleva siempre tilde para marcar la ruptura del diptongo:

l**í**-o   gu**í**-o   cr**í**-e

Fonética, entonación y ortografía

12. Escuche y repita primero deprisa (con diptongo) y después más despacio (sin diptongo):

1	lio / lió	*3*	fio / fió	*5*	guio / guió	*7*	crie / crié
2	fie / fié	*4*	guie / guié	*6*	lie / lié	*8*	crio / crió

13. Escriba las formas de los siguientes verbos y pronúncielos con ruptura de diptongo:

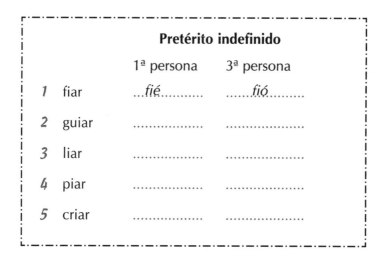

Pretérito indefinido

		1ª persona	3ª persona
1	fiar	...fié...........	......fió.........
2	guiar	....	....
3	liar	....	....
4	piar	....	....
5	criar	....	....

 14. Escuche las frases y diga quién realiza la acción:

1 ——————| ○ 1ª persona
         ⊗ 3ª persona

2 ——————| ○ 1ª persona
         ○ 3ª persona

3 ——————| ○ 1ª persona
         ○ 3ª persona

4 ——————| ○ 1ª persona
         ○ 3ª persona

5 ——————| ○ 1ª persona
         ○ 3ª persona

15. Marque 1 ó 2 según el orden en que se pronuncia:

a) ① guíe   ② guié   *e)* ○ lío   ○ lió

b) ○ pío   ○ pió   *f)* ○ guío   ○ guió

c) ○ críe   ○ crié   *g)* ○ píe   ○ pié

d) ○ líe   ○ lié   *h)* ○ crío   ○ crió

 16. Escuche y escriba la palabra que falta de cada frase:

1 .....*Frío*...... las patatas en aceite.   (frío / frió)

2 .... a carcajadas con el chiste.   (río / rió)

3 .... al ciego al cruzar la calle.   (guío / guió)

4 .... a dos niños huérfanos.   (crío / crió)

5 .... una gran confusión entre los asistentes.   (lío / lió)

Cuadro C

• Como ya se ha dicho en los capítulos anteriores, la **sinalefa** es la unión de la última vocal de una palabra con la primera de la siguiente. En estos casos, siempre se unen las dos vocales en una sílaba, sea cual sea la vocal tónica:

aquí es: a-quies   *no iba: noi-ba*   *cosa útil: co-saú-til*

 17. Escuche y repita:

1 para ti es mejor   *4* allí arriba   *7* aquí estoy

2 caso útil   *5* no iba solo   *8* aquí es el sitio

3 ni una ni otra   *6* no hubo salida   *9* tiene una

Fonética, entonación y ortografía

18. Escuche y separe las palabras que aparecen unidas:

1 unaislaabandonada: .... *una isla abandonada* ....

2 asíes: ....

3 laúltimaoportunidad: ....

4 meibaacasa: ....

5 esunauvapasa: ....

6 nolousasbien: ....

19. Subraye las vocales que se unen entre palabras:

1 l<u>e hi</u>zo <u>a</u>lgo

2 salí a la calle

3 no use este servicio

4 llena esta hucha

5 lo hice en un día

6 la una y media

7 ahora está húmedo

8 Perú está en América

20. Marque la expresión que oye:

a) ⊗ Ese hijo   ◯ Exijo

b) ◯ Para ti esto   ◯ Párate esto

c) ◯ Sí está   ◯ Siesta

d) ◯ La una   ◯ Luna

e) ◯ Le hago una   ◯ Laguna

f) ◯ Vi esa bien   ◯ Besa bien

DIÁLOGO 4: En el restaurante

Escuche y marque las sinalefas formadas por vocal débil tónica y vocal fuerte:

A. Buenos días, ¿qué va a ser?

B. Quería comer algo, por favor.

A. ¿Le traigo la carta o prefiere el menú?

B. ¿Cuál es el menú?

A. El menú es plato único: paella.

B. Entonces tomaré sólo una ensalada y de postre uvas.

A. ¿Y para beber?

B. Quiero una cerveza alemana, por favor.

A. Sí, enseguida está todo.

B. Gracias.

Escuche otra vez y repita las frases del cliente.

Capítulo 5

Triptongos y grupos de tres vocales o más

Cuadro A

● El triptongo es el conjunto de tres vocales que se pronuncian en una misma sílaba. Los triptongos están formados por una vocal abierta **(a, e, o)** entre dos vocales cerradas **(i, u)**. La vocal abierta es la tónica:

uei: b*uei*   iau: m*iau*   uau: g*uau*   uai: Urug*uai*

● Los triptongos aparecen sobre todo en terminaciones verbales de 2ª persona del plural:

*camb**iéis**   limp**iáis**   desprec**iéis**   amortig**uáis***

● Cualquier otra combinación de tres vocales no forma triptongo:

*ant**ia**éreo: an–tia–é–re–o*

---

 1. Escuche y repita:

1	guau	*3*	Paraguay	*5*	esquiáis	*7*	averigüéis
2	estudiéis	*4*	miau	*6*	fotografiáis	*8*	buey

 2. Escuche y complete las palabras con *iai* o con *iei*:

1	copiáis	*5*	limp__ __ __s
2	limp__ __ __s	*6*	vac__ __ __ __s
3	var__ __ __s	*7*	aver__ __ __s
4	cop__ __ __s	*8*	vac__ __ __ __s

3. Escuche y complete las palabras con *uai* o con *uei*:

1 averig**uái**s   3 grad__ __ __s   5 eval__ __ __s   7 averig__ __ __s

2 act__ __ __s   4 act__ __ __s   6 grad__ __ __s   8 eval__ __ __s

 4. Escuche y subraye la palabra que se pronuncia:

1 ¿Cuándo <u>iniciáis</u> / inicéis el curso?

2 Este perro está enfermo, no le **acariciáis** / **acaricéis**.

3 Si no os **distanciáis** / **distancéis** mucho, ganaréis la carrera.

4 Es difícil que **averiguáis** / **averigüéis** solos la solución.

 5. Marque 1 ó 2 según el orden en que se pronuncia.

a) ① averigüé   ② averigüéis   *d)* ◯ anuncié   ◯ anunciéis

b) ◯ evacué   ◯ evacuéis   *e)* ◯ divorcié   ◯ divorciéis

c) ◯ denuncié   ◯ denunciéis   *f)* ◯ adecué   ◯ adecuéis

Cuadro **B**

● Una combinación de vocal fuerte entre dos débiles se separa en dos sílabas distintas cuando el acento tónico cae en una de las vocales débiles. En ese caso se pone acento escrito o tilde sobre esta vocal:
*sol**í**ais: so-l**í**-ais   ten**í**ais: te-n**í**-ais   podr**í**ais: po–dr**í**-ais*

● Las nuevas normas de la *Ortografía* de 1999 de la Real Academia indican que algunas palabras consideradas tradicionalmente como monosílabos y que contienen un triptongo se pronuncian en dos sílabas según las regiones y los registros de uso. Por tanto, se pueden escribir sin tilde o con tilde según se pronuncien en una sílaba o en dos:
*cr**iais**: cr**iais**   cri**áis**: cri-**áis***
*f**ieis**: f**ieis**   fi**éis**: fi-**éis***

Fonética, entonación y ortografía

6. Escuche y repita insistiendo en la vocal débil con tilde:

1	*vendríais*	*3*	dormíais	*5*	leíais
2	temeríais	*4*	bebíais	*6*	estudiaríais

7. Escuche y ponga tilde sobre la vocal débil tónica:

1	*sabíais*	*3*	estariais	*5*	tendriais	*7*	podriais
2	pondriais	*4*	veniais	*6*	dariais	*8*	saltariais

8. Complete el cuadro:

VERBO	Presente de indicativo		Presente de subjuntivo	
1 Criar	*criais*	*criáis*	*crieis*	*criéis*
2 Fiar	....	....	....	....
3 Guiar	....	....	....	....
4 Liar	....	....	....	....
5 Piar	....	....	....	....

9. Marque 1 ó 2 según el orden en que se pronuncia:

a) ① fiáis   ② fiais

b) ○ guiéis   ○ guieis

c) ○ criáis   ○ criais

d) ○ liáis   ○ liais

e) ○ piéis   ○ pieis

f) ○ fiéis   ○ fieis

● Los grupos de tres vocales o más se dan sobre todo en las **sinalefas**, es decir, en el encuentro entre dos o más palabras. Estos grupos se pronuncian en **una sola sílaba**:

– **Si todas las vocales son átonas**:

aaa: iba _a ha_cerlo -------- i-ba-cer-lo
oaa: aprend_o a ha_blar --– a-pren-d_oa_-blar
uae: leng_ua e_xtranjera --- len-g_uae_x-tran-je-ra

– **Si la única vocal tónica es abierta y queda en medio**:

ióu: recibi_ó u_rgentemente --- re-ci-b_ióu_r-gen-te-men-te
iói: sali_ó i_leso ---------------- sa-l_iói_-le-so
iée: confi_é e_n Luis ----------- con-fi_én_-Luis
ióae: di_o a e_ntender --------- d_ioae_n-ten-der
ioéu: camb_io eu_ros --------- cam-b_ioeu_-ros

– **Si hay una gradación de abertura ascendente o descendente**:

iaa (ascendente): tem_í a A_ntonio --- te-m_ía_n-to-nio
aeu (descendente): est_á eu_fórico --- es-t_áeu_-fó-ri-co

 10. Escuche y repita:

_1_ llega a Almería

_2_ estudió en Murcia

_3_ noticia alegre

_4_ iba a encender

_5_ premio especial

_6_ justicia humana

_7_ estaba ahogada

_8_ un palacio horrible

_9_ salió a enterarse

Fonética, entonación y ortografía

11. Escuche y separe las palabras que aparecen unidas:

1 silencioabsoluto: ......*silencio absoluto..*..

2 esunsitioespecial: ....

3 vuelveaatarlo: ....

4 vuelvoaempezar: ....

5 estádispuestoaobedecer: ....

6 unaantiguaescuela: ....

12. Subraye las vocales que se unen entre palabras:

1 ha salid**o a**iroso

2 comió albóndigas

3 viene a escuchar

4 pídele auxilio

5 es una lengua extraña

6 recibió a Eulalia

 13. Marque la frase que oye:

a) ⊗ Decidió ocultarlo

    ○ Decidí ocultarlo

b) ○ Pregúntalo ahora

    ○ Pregunta la hora

c) ○ Añadió azafrán

    ○ Añadí azafrán

d) ○ Escribió a Encarna

    ○ Escribí a Encarna

e) ○ Subió al Teide

    ○ Subí al Teide

f) ○ Va a adorar

    ○ Va a dorar

● La unión de tres o más vocales en sinalefa se pronuncia en **dos sílabas** diferentes:

– Si hay una vocal cerrada entre dos abiertas y las tres son átonas. La vocal cerrada se une a la abierta siguiente:
oia: alt**o y a**lejado ----- al–t**o–ia**–le–ja–do
oie: dens**o y e**speso --- den–s**o–ie**s–pe–so

– Si hay dos vocales abiertas tónicas:
ióá: sal**ió a**ntes --- sa–l**ió–a**n–tes
óái: tom**ó a**ire -----to–m**ó–ai**–re

– Si hay una vocal tónica al final:
eaé: accident**e a**éreo --- ac–ci–den–t**e–aé**–re–o
oaí: a es**o ha i**do ------- a–e–s**oha–i**–do

– En lenguaje lento o esmerado si la primera vocal pertenece a un monosílabo acentuado:
S**í ha e**stado --– s**í–ae**s–ta–do
Y**a oi**remos -----y**a–oi**–re–mos

14. Escuche y repita:

1 uno u otro	*3* esta y aquella	*5* calle y escuche
2 voy a empezar	*4* cogió aire	*6* ya he ido

15. Los siguientes grupos de vocales en sinalefa se pronuncian en dos sílabas. Clasifíquelos según el cuadro.

1 para eso ha ido	*5* guapa y alta
2 se fue antes	*6* comió algo antes
3 puente aéreo	*7* continué esto
4 cambió euros	*8* mucho hierro

Fonética, entonación y ortografía

Una vocal cerrada entre dos abiertas	Dos vocales abiertas tónicas	Una vocal tónica al final
		para eso ha ido

 16. Escuchará dos veces cada frase. Marque con una cruz si el grupo de vocales se pronuncia en una sílaba o en dos:

		Una sola sílaba	Dos sílabas
1	No se lo dé a ella	X	
2	No se lo dé a ella		
3	Ya ha estado aquí		
4	Ya ha estado aquí		
5	¿Qué ha hecho?		
6	¿Qué ha hecho?		

17. Subraye las frases donde se unan tres o más vocales en una sola sílaba:

1 sint**ió u**n dolor

2 cacao instantáneo

3 está hoy en casa

4 bebió agua

5 vio algo raro

6 vete ahora mismo

Cuadro E

● **Sinalefas violentas**
Aun siendo posible, se evita la sinalefa de tres o más vocales cuando:

– **La vocal intermedia es la conjunción *e* o la conjunción *o*:**
riqueza e industria: ri-que-za-ein-dus-tria
ancho o estrecho: an-cho-oes-tre-cho

– **Se da la unión de *uia, uie, eui, iui*.**
fui el mejor: fui-el-me-jor
así huirá: a-sí-hui-rá

18. Escuche y repita:

    1 blanca o azul   *4* fui enseguida

    2 fui a veros ayer   *5* padre e hijo

    3 ¿esta o aquella?   *6* guapo e inteligente

19. Subraye las vocales que se unen entre palabras:

    1 viej**o y a**rrugado

    2 ¿sale o entra?

    3 comida y habitación

    4 tarde e inútil

    5 fui hasta su oficina

    6 huí en una avioneta

20. Lea el texto y una los grupos de tres vocales o más:

La noche de difuntos me despertó, a no sé qué hora, el doble de las campanas; su tañido monótono y eterno me trajo a las mientes esta tradición que oí hace poco en Soria.

Intenté dormir de nuevo; ¡imposible! Una vez aguijoneada, la imaginación es un caballo que se desboca, y al que no sirve tirarle de la rienda. Por pasar el rato, me decidí a escribirla como, en efecto, lo hice.

Yo la oí en el mismo lugar en que acaeció, y la he escrito volviendo algunas veces la cabeza, con miedo cuando sentía crujir los cristales de mi balcón.

Gustavo Adolfo Bécquer. *El monte de las ánimas*

Fonética, entonación y ortografía

DIÁLOGO 5: Ésta es mi casa

Escuche y marque las sinalefas de tres o más vocales:

A. ¿Ésta es tu casa?

B. Sí, ésta es. ¿Te gusta o es fea?

A. Me encanta. Es muy grande y alegre.

B. Me he instalado hoy.

A. ¿Me la enseñas?

B. Sí, claro. Mira, aquí hay una habitación pequeña y allí la de matrimonio.

A. ¡Qué bonitas las dos!

B. La cocina y el salón están unidos.

A. Está todo muy aprovechado.

B. Ahí está el cuarto de baño y allí la terraza.

A. ¡Es perfecta!

Escuche otra vez y repita las frases del interlocutor B.

Capítulo 6

El sonido [θ] representado por las letras C y Z

Cuadro A

- La letra **c** (ce) se pronuncia **[θ]** delante de las vocales **e, i**:

  cero   **c**ifra

- La letra **z** (zeta) se pronuncia **[θ]** aparece delante de **a, o, u** y en posición final de sílaba o de palabra:

  zapato   **z**ona   **z**umo   a**z**teca   cru**z**

Hay algunas excepciones:

  zig**z**ag   na**z**i   Nueva **Z**elanda

Algunas palabras se pueden escribir con **c** o con **z**.
Ver *Apéndice 1* al final del capítulo.

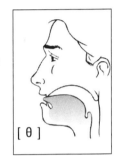

[θ]

La punta de la lengua entre los dientes. El aire sale despacio sin hacer vibrar las cuerdas vocales.

Seseo

- En algunas zonas de la Península Ibérica, Islas Canarias y toda Hispanoamérica, el sonido [θ], se escriba con **c** o con **z**, se pronuncia como el sonido **[s]**. Este fenómeno se conoce con el nombre de seseo.
Los hablantes de estas zonas pueden tener dudas ortográficas a la hora de escribir palabras que se distinguen sólo por las letras **c**, **z/s**.
Ver *Apéndice 2* al final del capítulo.

1. Escuche y repita:

1	zapato	*3*	plaza	*5*	cero	*7*	cine	*9*	zipizape
2	azteca	*4*	cruz	*6*	cenicero	*8*	Zeus	*10*	paciencia

2. Ahora escuche las mismas palabras del ejercicio anterior pronunciadas por un hablante que "sesea".

Fonética, entonación y ortografía

3. Contraste [θ] y [d]. Escuche y repita cada par de palabras:

a) caza   cada

b) mozo   modo

c) ceja   deja

d) lazo   lado

e) calzo   caldo

f) cedo   dedo

4. Contraste [θ] y [f]. Escuche y repita cada par de palabras:

a) ce   fe   d) aceite   afeite

b) buzón   bufón   e) zoco   foco

c) cacé   café   f) zorro   forro

5. Escuche y complete las palabras con la letra que falta (c, z, f):

1   ciencia   5   __ebra

2   en__ilar   6   ven__er

3   __elino   7   ele__ante

4   __icatri__   8   __á__il

6. Contraste [θ] y [s]. Escuche y repita cada par de palabras:

a) pazo   paso

b) cazo   caso

c) haz   as

d) pozo   poso

e) maza   masa

f) zueco   sueco

7. Marque las palabras con 1 ó 2 según el orden en que las escuche:

a) ① sé   c) ○ sumo   e) ○ ves
   ② ce   ○ zumo   ○ vez

b) ○ siervo d) ○ siento   f) ○ segar
   ○ ciervo   ○ ciento   ○ cegar

 8. Escuche y complete las palabras con la letra que falta (c, z, d, f, s):

1 enfa*d*ar   6 dul__e
2 __ur__o   7 __ielo
3 __o__ena   8 pere__a
4 ca__a__or   9 neo__elandés
5 __i__í__il   10 pa__

9. Complete las palabras con las letras c o z:

1 pie*z*a   5 dul__e
2 dan__a   6 sui__o
3 o__io   7 __elo
4 ve__ino   8 pere__a

 10. Escuche las palabras siguientes y escríbalas:

1 ....*cielo*...........   6 ....
2 ....   7 ....
3 ....   8 ....
4 ....   9 ....
5 ....   10 ....

Modificaciones ortográficas en sustantivos y adjetivos

● Los sustantivos y adjetivos terminados en **–z** forman el plural en **–ces**:

pe**z**: pe**ces**

capa**z**: capa**ces**

● Palabras de la misma familia pueden escribirse con **c** o con **z** siguiendo las reglas generales del Cuadro A:

cerve**z**a: cerve**c**ería

efica**z**: efica**c**ia

11. Forme el plural de las palabras siguientes sustituyendo z por ces:

1 emperatriz: ....*emperatrices*....

2 actriz: ....

3 luz: ....

4 lápiz: ....

5 capaz: ....

6 andaluz: ....

12. Escriba en singular las palabras siguientes:

1 narices: ....*nariz*...........

2 avestruces: ....

3 incapaces: ....

4 felices: ....

5 barnices: ....

6 eficaces: ....

13. Escuche y complete los espacios como en el ejemplo:

	Adjetivo	Sustantivo
1	dulce	*dulzura*
2	audaz	....
3	capaz	....
4	eficaz	....
5	veloz	....
6	feliz	....
7	tenaz	....
8	cómplice	....

 14. Escuche y complete los espacios como en el ejemplo:

		Palabra origen
1	ajedrecista	ajedrez
2	lacito	....
3	cervecería	....
4	cacería	....
5	pecera	....
6	lapicero	....
7	crucero	....
8	pocito	....

Cuadro C

Modificaciones ortográficas en verbos

● Los verbos terminados en **–zar** cambian a **c** delante de **e** en la conjugación:

    empezar: empiece

● Los verbos terminados en **–cer** o en **–cir** (precedidos de consonante) cambian a **z** delante de **a** y **o** en la conjugación:

    vencer: venzo   *esparcir: esparzo*

Fonética, entonación y ortografía

15. Complete la columna de la derecha:

3ª persona singular del presente de indicativo	1ª persona singular del presente de indicativo
1	convence	*convenzo*
2	zurce	....
3	tuerce	....
4	vence	....
5	ejerce	....
6	frunce	....

16. Complete la columna de la derecha:

1ª persona singular del presente de indicativo	1ª persona singular del presente de subjuntivo
1	cruzo	*cruce*
2	cazo	....
3	comienzo	....
4	utilizo	....
5	empiezo	....
6	europeízo	....

17. Complete los espacios con las dos primeras personas de cada tiempo:

		Presente de indicativo	Pretérito indefinido
1	comenzar	*comienzo*	*comencé*
		comienzas	*comenzaste*
2	utilizar	....	....
3	lanzar	....	....
4	rozar	....	....
5	finalizar	....	....

18. Escuche y escriba la palabra que falta de cada frase:

| calces | crucemos | cruces | analiza | abracé |

1 No **cruces** la calle sin mirar.

2 En cuanto llegó mi padre me .... a él.

3 Ahora no es el momento de que .... los brazos.

4 Hay cristales rotos en el suelo, es mejor que te ....

5 Antes de tomar una decisión .... todas las situaciones.

Cuadro D

El grupo cc

- El grupo **cc** está formado por dos letras. En la pronunciación cuidada, la primera **c** representa el sonido **[k]** y la segunda, el sonido **[θ]**:

    acción: *[akθión]*

- En el lenguaje rápido y conversacional, el grupo **cc** se pronuncia como **[gθ]**:

    acción: *[agθión]*

- En la conversación poco cuidada, el grupo **cc** en sílaba final tiende a pronunciarse como una sola **c**:

    infección: *[infeθión]*

Nota: *hay muchas palabras procedentes del italiano que llevan el grupo **zz**. Este grupo se pronuncia como si fuera [ds]:* **pizza [pidsa], mozzarella, paparazzi, atrezzo, intermezzo, mezzosoprano...**

 19. Escuche y repita:

1 accidente	*5* colección
2 elección	*6* accesorio
3 calefacción	*7* occidente
4 ficción	*8* traducción

Fonética, entonación y ortografía

20. Escuche y complete las palabras siguientes con *c* o *cc*:

1 infla**c**ión

2 dedica__ __ión

3 discre__ __ión

4 convi__ __ión

5 a__ __ión

6 afi__ __ión

7 reda__ __ión

8 sele__ __ión

21. Señale la frase que oiga:

a) ○ Tiene una gran afección
ⓧ Tiene una gran aflicción

b) ○ Es una ficción
○ Es una afición

c) ○ Aquí no hay adicción
○ Aquí no hay adición

d) ○ Se anuló la infracción
○ Se anuló la inflación

e) ○ Ha hecho su gestión
○ Ha hecho sujeción

f) ○ Intenté una seducción
○ Intenté una solución

Cuadro **E**

Enlaces de palabras

● Las palabras terminadas en **–z** se enlazan con las palabras siguientes que empiezan por vocal:

haz eso: ha-ze so   *pez espada: pe-zes-pa-da*

El contacto de la **–z final** de una palabra con el sonido [θ] inicial de la siguiente hace que se pronuncien como una [θ] más larga:

diez cigarros: die-zzi-ga-rros

---

22. Escuche y repita:

1 feliz año

2 pez espada

3 luz eléctrica

4 haz eso

5 luz celeste

6 haz zapatos

23. Subraye los sonidos que se enlazan:

1 la veje**z e**mpieza pronto

2 andaluz alegre

3 un jerez espléndido

4 una cruz amarilla

5 Túnez es precioso

6 Alfredo González Hermoso

7 una voz horrorosa

8 tomaré perdiz asada

24. Escuche y separe las palabras que aparecen unidas:

1 actrizyactor: ......*actriz y actor*...

2 atrozeinsoportable: ....

3 maízasado: ....

4 cadavezespeor: ....

5 nuezypasas: ....

6 juezyalcalde: ....

25. Marque la expresión que oiga de cada pareja:

a)	○ Es la ciencia	⊗ Es la esencia
b)	○ Accede a ella	○ Hace de ella
c)	○ Haz eso	○ Acceso
d)	○ El cero	○ El acero
e)	○ Hacéis té	○ Aceite
f)	○ La afición	○ La ficción
g)	○ La cena	○ La escena
h)	○ Haz de luz	○ Hace luz

Fonética, entonación y ortografía

26. Marque las expresiones que oiga:

a) ⊗ Haz zumo
    ○ Haz humo

b) ○ Eficaz y aprobada
    ○ Eficacia probada

c) ○ Haz estas
    ○ Hace estas

d) ○ Capaz es de amar
    ○ Capaces de amar

e) ○ Haz cerraduras
    ○ Hace herraduras

f) ○ Haz cera
    ○ Acera

DIÁLOGO 6: Reserva por teléfono

 Escuche y marque:
- **Las sinalefas.**
- **Los enlaces de las palabras terminadas en –z con las vocales siguientes.**

A. Hotel La Cruz Ibérica. ¿Dígame?

B. *Buenos días. ¿Podría hacer una reserva?*

A. ¿Para qué día?

B. *Para mañana, doce de diciembre.*

A. Muy bien, señora. Pero sólo me queda una habitación interior con tragaluz en el techo.

B. *No importa.*

A. ¿Su nombre?

B. *Mari Luz Hernández Escobar.*

A. ¿Me deja un número de teléfono, por favor?

B. *Sí, el cien diez ochenta cero cero.*

A. Muchas gracias. Se la reservamos hasta las diez y media. Feliz estancia.

B. *Me parece bien. Hasta mañana.*

Escuche otra vez y repita las frases del interlocutor B.

APÉNDICE 1

Palabras que se pueden escribir con C o con Z
(A la izquierda la forma preferida
por la Real Academia Española)

cebra	zebra
cedilla	zedilla
cenit	zenit
cinc	zinc
neozelandés(a)	neocelandés(a)
zeta	ceta

APÉNDICE 2

Dudas ortográficas más frecuentes para
los hablantes que sesean

Formas	Significado	Ejemplo
cerrar	Lo contrario de abrir.	Al salir hay que **cerrar** la puerta.
serrar	Cortar con la sierra.	Se cortó al **serrar** un trozo de madera.
cima	La parte más alta de una montaña.	Los montañeros alcanzaron la **cima**.
sima	Cavidad profunda en la tierra.	Tras el terremoto se produjo una gran **sima**.
cocer	Hacer hervir un líquido.	Para hacer té, primero debes **cocer** el agua.
coser	Unir con aguja e hilo.	Mi padre no sabe **coser** ni un botón.
abrazar	Dar un abrazo.	Tengo ganas de **abrazar** a mi hijo, hace tiempo que no lo veo.
abrasar	Quemar.	Cuidado, porque te puedes **abrasar** con la sartén.
azar	Casualidad, suerte.	Ha ganado mucho dinero con los juegos de **azar**.
asar	Cocinar un alimento al fuego.	Para **asar** bien el pollo debes echar un poco de agua en la olla.
caza	Acción de cazar.	**Caza** animales, pero luego los suelta.
casa	Vivienda, domicilio.	Me gusta recibir a mis amigos en **casa**.
cazo	Recipiente metálico.	Tomaré sólo un **cazo** de esta sopa.
caso	Suceso, acontecimiento.	Cuando llegue el **caso**, estudiaremos el asunto.
pozo	Agujero en la tierra para sacar agua.	El **pozo** se ha secado y nos moriremos de sed.
poso	Sedimento de un líquido	Hay gente que lee el futuro en los **posos** del café.
taza	Recipiente pequeño para tomar té o café.	Tomaré otra **taza** de café con leche, gracias.
tasa	Acción de tasar o poner precio.	En la Universidad han subido mucho las **tasas** académicas.
zeta	Última letra del alfabeto.	Apréndetelo de la a hasta la **zeta**.
seta	Cierta clase de hongo.	Yo no sé reconocer las **setas** venenosas.

Fonética, entonación y ortografía

Capítulo 7

El sonido [k] representado por las letras C, K y QU

Cuadro A

- La letra **c** (ce) se pronuncia **[k]**:
- Delante de las vocales **a**, **o**, **u** y delante de las consonantes **r** y **l**:

caza   *cosa*   *cuna*   *cráter*   *claro*

- La letra **q** (cu) + **u** se pronuncia **[k]**:
- Delante de las vocales **e**, **i**:

queso   *quizás*

- La letra **k** (ka) se pronuncia siempre **[k]** y aparece en algunas palabras de origen extranjero:

kilo   *kárate*   *okapi*   *anorak*

Algunas palabras se pueden escribir con **k** o con **qu**. Ver *Apéndice* al final del capítulo.

<u>Nota</u>: *cuando una palabra que empieza por* **qu** *debe escribirse en mayúscula, sólo se escribe así la primera letra:* **Quevedo, Quintiliano, Quijote, Quintana**.

[k]

La punta de la lengua baja y su parte final sube hasta cerrar la salida del aire. Este sale a continuación haciendo una pequeña explosión y sin hacer vibrar las cuerdas vocales.

---

 1. Escuche y repita:

1 casa	*3* coco	*5* loco	*7* Cuba	*9* cuando
2 quema	*4* quiero	*6* kilo	*8* clase	*10* crudo

2. Contraste [p] y [k]. Marque con una cruz la palabra que oiga:

a) ⊗ peso   *c)* ◯ poso   *e)* ◯ paso

     ◯ queso   ◯ coso   ◯ caso

b) ◯ pasa   *d)* ◯ puente   *f)* ◯ puñado

     ◯ casa   ◯ cuente   ◯ cuñado

3. Contraste [k] y [g]. Complete las palabras con *c* o *g* en el orden en que las escuche:

a) *c*asa   *g*asa   *e)* pla__a   pla__a

b) sa__a   sa__a   *f)* to__a   to__a

c) __ala   __ala   *g)* __ol   __ol

d) __oma   __oma   *h)* va__a   va__a

4. Contraste [k] y [kl]. Escuche y repita cada par de palabras:

a) cave   clave   *d)* anca   ancla

b) case   clase   *e)* coro   cloro

c) caro   claro   *f)* cavo   clavo

5. Contraste [k] y [kr]. Escriba 1 ó 2 según el orden en que escuche las palabras:

a) ② cromo   *d)* ◯ lacra

     ① como   ◯ laca

b) ◯ crasa   *e)* ◯ croqueta

     ◯ casa   ◯ coqueta

c) ◯ crónica   *f)* ◯ sacro

     ◯ cónica   ◯ saco

6. Escuche y complete las palabras con la letra que falta (c, k, qu):

1 **qu**ien
2 Pa__ __o
3 __ __eso
4 __ __ual

5 a__ __í
6 __ __árate
7 __ __azar
8 __ __oala

7. Escuche las palabras y escríbalas:

1 ....cuatro............
2 ....
3 ....
4 ....

5 ....
6 ....
7 ....
8 ....

8. Escriba la conjugación del verbo *CABER*:

	presente de indicativo		pretérito indefinido
yo	....	yo	....
tú	............cabes............	tú	....
él/ella/usted	....	él/ella/usted	....
nosotros	....	nosotros	............cupimos............
vosotros	....	vosotros	....
ellos/as/ustedes	....	ellos/as/ustedes	....

Cuadro B

Modificaciones ortográficas en verbos

• Los verbos terminados en **–car** cambian la **c** en **qu** delante de **e** en la conjugación:

    acer**car**: acer**qué**

9. Complete los espacios con el presente de subjuntivo de los siguientes verbos:

atacar	arrancar	atascar	roncar
ataque	....	....	....
....	*arranques*	....	....
....	....	*atasque*	....
....	....	....	*ronquemos*
....	....	....	....
....	....	....	....

10. Escuche y complete las frases:

1   ....*Aparqué*...... el coche en el garaje del centro.

2   .... la ropa de la lavadora para que se ....

3   Le pediré a un guardia que me .... el camino.

4   No .... la barandilla porque estaba recién pintada.

5   Es mejor que no .... en este lago.

11. Complete la columna de la derecha:

	infinitivo	1ª persona singular del pretérito indefinido
1	atacar	*ataque*
2	arrancar	
3	acercar	
4	chocar	
5	evocar	
6	invocar	
7	edificar	
8	equivocar	

12. Complete los espacios:

	1ª persona singular del presente de indicativo	1ª persona singular del presente de subjuntivo
1	identifico	*identifique*
2	busco	
3		fabrique
4	comunico	
5	destaco	
6		eduque
7	dedico	
8		justifique

Cuadro C

En los grupos formados por **c + consonante** (excepto **l** y **r**) la **c** se pronuncia **[k]** en el habla cuidada. Pero en el lenguaje rápido y conversacional se pronuncia **[g]**:

> *técnica:* [téknica] o [tégnica]
> *actor:* [aktor] o [agtor]

 ## 13. Escuche y repita:

1	técnica	7	actor
2	cóctel	8	actitud
3	actuar	9	fucsia
4	acné	10	octavo
5	anécdota	11	facsímil
6	factura	12	tecnología

14. Escuche y complete las palabras con *ct* o *cc*:

a) ac*tor* ac*ción*
e) ele__ __o ele__ __ión

b) le__ __or le__ __ión
f) tra__ __or tra__ __ión

c) sele__ __o sele__ __ión
g) perfe__ __o perfe__ __ión

d) di__ __ado di__ __ión
h) fi__ __icio fi__ __ión

Cuadro D

Enlaces de palabras

● El sonido **[k]** lo encontramos a final de palabra en algunos términos de origen extranjero y en algunas onomatopeyas:

   – Escrito con **c:** *biste**c*** *ticta**c***
   – Escrito con **k:** *anora**k***

● Las palabras terminadas en **–c** o en **–k** se enlazan con las palabras siguientes que empiezan por vocal:

   *biste**c** y patatas*: *bis–te–**[k]i**–pa–ta–tas*

---

15. Escuche y repita:

1 un tic involuntario
3 anorak azul
5 un frac elegante

2 coñac español
4 bistec y patatas
6 bloc amarillo

16. Escuche y separe las palabras que aparecen unidas:

1 leíuncómicinteresante: *leí un cómic interesante* ....

2 haceaeróbicygimnasia: ....

3 tieneuntictacinsoportable: ....

4 elgatillohizounclicapagado: ....

5 Federicatienechicyencanto: ....

Fonética, entonación y ortografía

59

DIÁLOGO 7: La lista de la compra

Escuche y marque:
- **Las sinalefas.**
- **Los enlaces de las palabras terminadas en −c o −k con las vocales siguientes:**

A. Voy a ir al súper ¿quieres algo?

B. ¿Qué vas a comprar?

A. Queso, crema de cacao y un kilo de kiwis.

B. Cómprame un bistec y una botella de coñac inglés.

A. Lo que es inglés es el whisky. El coñac es francés.

B. Bueno, es igual.

A. ¿Algo más?

B. Sí, también necesitaré un bloc o un cuaderno para mi clase de español.

A. ¿De qué color?

B. No sé, de un color chic.

A. ¿Eso es todo?

B. ¡Ah! Si pasas por el kiosco tráeme un cómic en blanco y negro.

A. Mira, ¿sabes qué? Te pones el anorak y vas tú a hacer la compra.

B. Vaya, ya se enfadó.

Escuche otra vez y repita las frases del interlocutor B.

Palabras que se pueden escribir con K o con QU
(A la izquierda la forma preferida
por la Real Academia Española)

biquini	bikini
kilogramo	quilogramo
kilómetro	quilómetro
quiosco	kiosco
eusquera	euskera
quivi	kiwi

Capítulo 8

El sonido [g] representado por las letras G y GU

Cuadro A

● La letra **g** (ge) se pronuncia **[g]**:

-Delante de las vocales **a**, **o**, **u**:   *g*ato   *g*oma   *g*ula
-En posición final de sílaba: *ig*norar
-Delante de las consonantes **l** y **r**: *g*racias   *g*lobo

La letra **g** + la vocal **u** se pronuncia **[g]**:
-Delante de las vocales **e**, **i**:   *gu*erra   *gu*isante

Notas ortográficas:

– *Se escribe* ***gü*** *delante de* ***e***, ***i*** *para indicar que la* ***u*** *se pronuncia:*
     ver*gü*enza   pin*gü*ino
– *Cuando una palabra que empieza por* ***gu*** *debe escribirse en mayúscula,*
sólo se escribe así la primera letra:
     Gu*ipúzcoa*

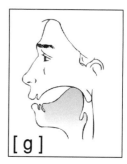

[g]

La punta de la lengua baja y su parte final sube hasta cerrar la salida del aire. Este sale a continuación con una pequeña explosión y haciendo vibrar las cuerdas vocales.

  1. Escuche y repita:

1	gusto	*7*	gorila
2	gusano	*8*	guisar
3	lingüista	*9*	piragüista
4	gas	*10*	gafas
5	lago	*11*	Miguel
6	ambigüedad	*12*	antigüedad

2. Escuche y repita:

1	asignatura	5	ignorar
2	magnífico	6	maligno
3	fragmento	7	significado
4	dogma	8	pugna

3. Contraste [g] y [k]. Marque con una cruz la palabra que oiga:

a) ⊗ callo   c) ○ cana   e) ○ gorra
    ○ gallo   ○ gana   ○ corra

b) ○ quiso   d) ○ col   f) ○ coma
    ○ guiso   ○ gol   ○ goma

4. Marque la frase que oiga de cada pareja:

a) ⊗ Es muy ambiguo   ○ Es muy amigo
b) ○ Lo atestiguo   ○ La testigo
c) ○ Es un coloso   ○ Es un goloso
d) ○ Dale una casa   ○ Dale una gasa
e) ○ He dicho gaucho   ○ He dicho caucho

5. Contraste [g] y [gr]. Marque la palabra que oiga:

a) ⊗ gato   c) ○ gano   e) ○ gajo
    ○ grato   ○ grano   ○ grajo

b) ○ gasa   d) ○ gana   f) ○ ganada
    ○ grasa   ○ grana   ○ Granada

Fonética, entonación y ortografía

6. Contraste [cl] y [gr]. Marque las palabras con 1 ó 2 según el orden en que las escuche:

a) ② clavar   *c)* ○ clave   *e)* ○ clavo

    ① grabar   ○ grave   ○ grabo

b) ○ clima   *d)* ○ clan   *f)* ○ proclamar

    ○ grima   ○ gran   ○ programar

7. Contraste [g] y [d]. Escuche y repita cada par de palabras:

a) soda   soga   *d)* día   guía

b) dato   gato   *e)* toda   toga

c) lado   lago   *f)* venda   venga

8. Subraye la palabra que oiga:

1 Me falta un **dato** / **gato**.

2 Por este **lado** / **lago** no pasan barcos.

3 Me gustaría que tuviéramos un buen **día** / **guía** para hacer esta excursión.

4 Espero que **venda** / **venga** pronto el taxi.

9. Escuche y complete las palabras con las letras que faltan (g, gu o gü):

1 vergüenza   *5* si__ __o

2 distin__ __ís   *6* jue__ __o

3 pin__ __ino   *7* cuel__ __e

4 pa__ __e   *8* __ __iar

10. Escuche este trabalenguas y después repítalo varias veces:

CUANDO DIGO DIGO...

TRABALENGUAS
TRABALENGUAS
TRABALENGUAS

Cuando yo digo Diego,
digo digo
y cuando digo digo
digo Diego

Cuadro B

Casos especiales

● Podemos encontrar la letra **g** a final de palabra en:

– La locución *zigzag*.

– Algunas palabras de origen extranjero recogidas en el Diccionario de la Real Academia: *iceberg   ping–pong*

– Algunas palabras con la terminación inglesa **–ing**:
***market**ing*   ***cater**ing*

● Excepto *zi**g**zag*, en los demás casos la **g** no suele pronunciarse.

 11. Escuche y repita.

1	iceberg	*7*	*dong*
2	*yang*	*8*	*marketing*
3	*puenting*	*9*	*casting*
4	zigzag	*10*	*gong*
5	ping–pong	*11*	*catering*
6	*footing*	*12*	*holding*

Modificaciones ortográficas en sustantivos y adjetivos

● Palabras de la misma familia pueden escribirse con **g** o con **gu** según la vocal que siga:

> hi**g**o: hi**gu**era   hormi**g**a: hormi**gu**ero

● Palabras de la misma familia pueden escribirse con **gu** o con **gü** según la vocal que siga:

> para**gu**as: para**gü**ero   anti**gu**o: anti**gü**edad

12. Escuche y repita cada par de palabras:

a) lengua   lingüística   *d)* paraguas   paragüero

b) lago   laguito   *e)* higo   higuera

c) hormiga   hormiguero   *f)* lengua   bilingüismo

13. Escuche y complete como en el ejemplo:

	Adjetivo	Sustantivo
1	antiguo	*antigüedad*
2	vago	
3	ciego	
4	largo	
5	amargo	
6	contiguo	
7	despegado	
8	nicaragüense	

14. Escuche y complete como en el ejemplo:

		Palabra origen
1	lingüista	*lengua*
2	agüita	
3	bodeguero	
4	esparraguera	
5	huelguista	
6	juerguista	
7	manguito	

Cuadro D

Modificaciones ortográficas en verbos

- Los verbos terminados en **–gar** cambian la **g** en **gu** delante de **e**:
  pa**g**ar: pa**gu**e
- Los verbos terminados en **–guir** cambian **gu** en **g** delante de **a** y **o**:
  distin**gu**ir: distin**g**o
- Los verbos terminados en **–guar** cambian **gu** en **gü** delante de **e**:
  averi**gu**ar: averi**gü**e

15. Complete el cuadro:

	Infinitivo	1ª persona singular del presente de subjuntivo
1	delegar	*delegue*
2	halagar	
3	dialogar	
4	divulgar	
5	prodigar	
6	ahogar	
7	castigar	
8	intrigar	

Fonética, entonación y ortografía

16. Complete:

	1ª persona singular del presente de subjuntivo	3ª persona singular del pretérito indefinido
1	pague	*pagó*
2	agregue	
3	apague	
4	divulgue	
5	castigue	
6	despegue	
7	indague	
8	rasgue	
9	recargue	
10	trague	

17. Complete:

PRESENTE DE INDICATIVO

		1ª persona singular	2ª persona singular
1	distinguir	*distingo*	*distingues*
2	seguir		
3	conseguir		
4	proseguir		
5	perseguir		

 18. Escuche y escriba la forma verbal correcta:

1 Espero que la policía .....*averigüe*...... quién asesinó al presidente. (**Averiguar**)

2 Si pones una manta debajo puede que se .... el golpe. (**Amortiguar**)

3 Es mejor que todos .... los ánimos. (**Apaciguar**)

4 Les ruego que se .... antes de salir de la iglesia. (**Santiguar**)

5 Busco a alguien para que .... a mi favor en el juicio. (**Atestiguar**)

DIÁLOGO 8: La encuesta

 Escuche y marque las sinalefas y los enlaces de las palabras acabadas en -z con las vocales siguientes:

A. Oiga, ¿me permite unas preguntas?

B. Diga.

A. ¿Le gusta el cine español?

B. Sí, es magnífico, cada vez es mejor.

A. ¿Le gusta algún actor o actriz en especial?

B. Me gustan Penélope Cruz y Antonio Banderas.

A. Gracias.

***

A. Oiga, ¿tiene un segundo?

B. Dígame.

A. ¿Le gusta el cine que se hace en España?

B. No.

A. ¿Por qué?

B. Porque es muy aburrido, no tiene gracia. No hay acción.

A. Muchas gracias.

Escuche otra vez y repita las frases del interlocutor B.

Fonética, entonación y ortografía

Capítulo 9

El sonido [x] representado por las letras G y J

Cuadro A

- La letra **j** (jota) se pronuncia siempre **[x]**:

  jardín   *jefe*   *jirafa*   *jornada*   *jugar*

- La letra **g** (ge) se pronuncia **[x]** delante de las vocales **e**, **i**:

  gente   *gira*

- Por tanto, las letras **g** y **j** se pronuncian igual delante de **e**, **i** (ver *Apéndice* al final del capítulo)

Casos especiales

- Hay muy pocas palabras que tengan el sonido **[x]** al final. Son palabras de poco uso o que pierden ese sonido en el habla coloquial:

  boj   *carcaj*   *reloj* [reló]

- La nueva *Ortografía* de la Real Academia recoge algunas palabras que se pueden escribir con **j** o con **x**, pero en ambos casos se pronuncian como **[x]**. (Ver Capítulo 21)

  México o Méjico   *Texas o Tejas*   *Oaxaca u Oajaca*

- En algunas palabras de origen extranjero la **j** se pronuncia como si fuera **[y]**:

  Jaguar [yáguar]   *judo* [yúdo]   *júnior* [yúnior]

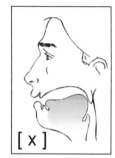

[x]

La punta de la lengua baja y su parte final sube sin llegar a cerrar la salida del aire. Este sale despacio, sin hacer vibrar las cuerdas vocales.

---

 1. Escuche y repita:

1 hoja	*3* magia	*5* viaje	*7* jamón	*9* gente
2 ojo	*4* junio	*6* jinete	*8* jefe	*10* gigante

2. Escuche y repita:

JE	GE	JI	GI

1	viaje	5	agencia	9	jirafa	13	colegio
2	jeque	6	urgente	10	rojizo	14	magia
3	mensaje	7	geometría	11	lejía	15	lógica
4	Jesús	8	inteligente	12	bujía	16	ginebra

3. Contraste [g] y [x]. Escuche y repita cada par de palabras:

a) gota — jota   *e)* vago — bajo

b) hago — ajo   *f)* liga — lija

c) higo — hijo   *g)* paga — paja

d) gusto — justo   *h)* despegue — despeje

4. Contraste [k] y [x]. Escuche y escriba las palabras en el orden en que las escuche:

roca, roja, coco, cojo, vaca, baja, carro, jarro

1 ....coco........	3	5	7 ....
2	4	6	8 ....

5. Contraste [f] y [x]. Escuche y escriba la letra que falta (*f, g, j*):

a) *j*ugar — *f*ugar   *d)* ma__ia — ma__ia

b) __uego — __uego   *e)* Ra__a — ra__a

c) ri__a — ri__a   *f)* __usta — __usta

Fonética, entonación y ortografía

6. Contraste [θ] y [x]. Marque la palabra que oiga:

a) ⊗ caza
    ○ caja

b) ○ raza
    ○ raja

c) ○ rozo
    ○ rojo

d) ○ mazo
    ○ majo

e) ○ mozo
    ○ mojo

f) ○ dice
    ○ dije

g) ○ cocer
    ○ coger

h) ○ reza
    ○ reja

i) ○ bazo
    ○ bajo

7. Contraste [s] y [x]. Escuche y subraye la palabra que oiga:

1   Se ha comprado una **casa** / **caja** preciosa.

2   Se le bajaron los pantalones porque estaban mal **cosidos** / **cogidos**.

3   Se cayó al suelo y se dio en la **mesilla** / **mejilla**.

4   Cerca de mí había unos **osos** / **ojos** que me miraban.

5   Te queda mejor la bufanda **rosa** / **roja**.

8. Marque las frases con 1 ó 2 según el orden en que las escuche:

a) ② Es una buena esposa   ① Es una buena esponja

b) ○ No digo nada   ○ No dijo nada

c) ○ Elija la suya   ○ Es hija suya

d) ○ Uno envasa dos   ○ Un embajador

e) ○ Es una bruja   ○ Es una estufa

f) ○ Es espeso   ○ Ese espejo

9. Escuche el texto y complete las letras que faltan *(g, j, gu)*:

El extran_ero lle__ó sin aliento a la estación desierta. Su gran vali__a, que nadie quiso car__ar, le había fati__ado en extremo. Se en__u__ó el rostro con un pañuelo, y con la mano en visera miró los rieles que se perdían en el horizonte. Desalentado y pensativo, consultó su relo__: la hora __usta en que el tren debía partir.

Al__ien, salido de quién sabe dónde, le dio una palmada muy suave. Al volverse, el extran__ero se halló ante un vie__ecillo de va__o aspecto ferrocarrilero. Llevaba en la mano una linterna ro__a, pero tan pequeña, que parecía un __u__ete. Miró sonriendo al via__ero.

Juan José Arreola. *Confabulario definitivo*

Cuadro B

Modificaciones ortográficas en los verbos

● Los verbos terminados es **–ger** y en **–gir** se escriben con **g** delante de **e**, **i** y con **j** delante de **a**, **o**:

    *co**g**er: co**g**e, co**j**o*   *diri**g**ir: diri**g**ió, diri**j**a*

Los verbos ***tejer**, **destejer*** y ***crujir*** se escriben siempre con **j**:

    tejer: *te**j**emos, te**j**amos*   ***crujir:*** *cru**j**ió, cru**j**a*

---

10. Complete el cuadro con la 1ª persona del singular de cada tiempo verbal:

Infinitivo	presente de indicativo	pretérito indefinido	futuro de indicativo
1 coger	cojo	cogí	cogeré
2 corregir			
3 dirigir			
4 proteger			
5 fingir			
6 acoger			
7 tejer			
8 crujir			

Fonética, entonación y ortografía

11. Complete:

	Sustantivo	Verbo
1	protección	*proteger*
2	corrección	
3	fingimiento	
4	tejido	
5	elección	
6	dirección	
7	crujido	

 ## 12. DICTADO. Escuche y escriba el siguiente texto:

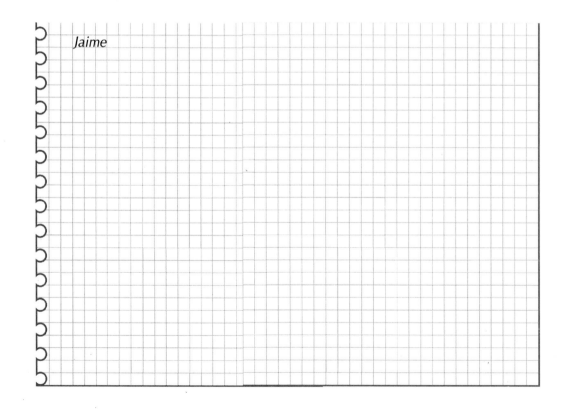

Jaime

TRABALENGUAS

Lea estos trabalenguas y trate de repetirlos deprisa:

1. Jaime baja la jaula.

2. Juanjo baja la caja abajo.

3. Juan junta juncos junto a la zanja.

4. Debajo del puente de Guadalajara había un conejo debajo del agua.

5. De generación en generación, las generaciones se degeneran con mayor degeneración.

6. Los cojines de la reina.
Los cajones del sultán.
¡Qué cojines! ¡Qué cajones!
¿En qué cajonera van?

Reglas básicas de G y J

Regla	Ejemplos
Regla **Se escriben con J las palabras que empiezan por *eje*.**	**Ejemplos** *ejercicio, ejemplo*
Se escriben con J las palabras terminadas en *aje*.	*garaje, salvaje, viaje*
Se escriben con G las palabras terminadas en *gía, gia, gio* y *gico/a*.	*biología, magia, colegio, lógico/a*

Capítulo 10

Los sonidos [r] y [r̄] representados por la letra R

[r]

La punta de la lengua se pone al principio del paladar. Y al salir el aire la hace vibrar una vez.

[r̄]

La punta de la lengua se pone al principio del paladar. Y al salir el aire la hace vibrar más de una vez.

LETRA	PRONUNCIACIÓN	POSICIÓN	EJEMPLO
r	[r]	• Entre vocales: • Delante de consonante: • Final de palabra: • Combinación consonántica: br, cr, dr, fr, gr, kr, pr y tr.	*cara, pero* *árbol, pierna* *ir, olor* *abrazo, traje*
r	[r̄]	• Principio de palabra: • Detrás de las consonantes s, l, n: • Detrás de las consonantes b, d, t cuando no forma sílaba con ellas:	*rayo, rubio* *Enrique, alrededor* *subrayar*
rr	[r̄]	• Entre vocales:	*ferrocarril*

1. Sonido [r]. Escuche y repita:

1	Perú	*3*	arena	*5*	hermano	*7*	verde	*9*	detrás
2	abril	*4*	negro	*6*	mar	*8*	yogur	*10*	tener

 2. Sonido [r]. Marque la palabra que oiga:

a) ○ eremita   *c)* ○ párate   *e)* ○ parado

   ⊗ ermita   ○ parte   ○ prado

b) ○ pereces *d)* ○ maracas *f)* ○ tersa

   ○ preces   ○ marcas   ○ Teresa

3. Lea este poema en voz alta:

No me mires, que miran
que nos miramos,
y verán en tus ojos
que nos amamos.
No nos miremos,
que cuando no nos miren
nos miraremos.

 4. Sonido [r̄]. Escuche y repita:

1	rápido	*6*	real
2	risa	*7*	rueda
3	honrado	*8*	Israel
4	subrayar	*9*	posromántico
5	guerra	*10*	turrón

Fonética, entonación y ortografía

5. Contraste [r] y [r̄]. Escuche y repita estas palabras que tienen los dos sonidos:

1 rencor	*3* respirar	*5* arreglar	*7* alrededor	*9* reactor
2 rural	*4* carrera	*6* terrestre	*8* raro	*10* prórroga

6. Contraste [r] y [r̄]. Marque la palabra que oiga:

a) ⊗ ahora　　　*d)* ○ careta　　　*g)* ○ caro
　　 ○ ahorra　　　　　 ○ carreta　　　　 ○ carro

b) ○ cero　　　　*e)* ○ coral　　　　*h)* ○ coro
　　 ○ cerro　　　　　 ○ corral　　　　　 ○ corro

c) ○ para　　　　*f)* ○ pera　　　　*i)* ○ pero
　　 ○ parra　　　　　 ○ perra　　　　　 ○ perro

7. Escuche y complete las palabras con la letra que falta *(r, rr)*:

1　*torre*　　　　　　　　*5*　__ __a__ __o

2　ado__ __no　　　　　*6*　__ __oto

3　ca__ __a　　　　　　*7*　a__ __epenti__ __se

4　ba__ __e__ __a　　　*8*　ho__ __o__ __oso

8. Escuche y complete las letras que faltan en este trabalenguas:

TRABALENGUAS

El pe__rr__o de __osa y __oque no tiene __abo po__que __amón __amí__ez se lo ha co__tado.

TRABALENGUAS　　　　　TRABALENGUAS

9. Contraste [l] y [r̄]. Escuche y repita cada par de palabras:

a) pelo   perro   *d)* loba   roba

b) lana   rana   *e)* cielo   cierro

c) lavo   rabo   *f)* lápida   rápida

10. Contraste [l] y [r]. Escuche y escriba las palabras en el orden en que las escuche:

salta,   sarta,   absolver,   absorber,   cardo,   caldo,   arma,   alma

1 ......sarta.......   *3* ....   *5* ....   *7* ....

2 ....   *4* ....   *6* ....   *8* ....

11. Contraste [l] y [r]. Escuche y escriba la letra que falta:

a) suelo   suero   *d)* mu__o   mu__o

b) pa__o   pa__o   *e)* po__o   po__o

c) pa__a   pa__a   *f)* ca__a   ca__a

12. Escuche y complete el texto con las letras que faltan *(l, r, rr)*:

Fue tan g_ande mi imp_esión, que vo_ví el vaso a la mesa sin llega_ a p_oba_lo. _esu_ta ext_año, Davicito, lo que po_ mí pasó en aquel momento. E_a a_go así como si, de _epente, mi vida actua_ se conectase con ot_a vida ante_io_ mía. _a_o, ¿ve_dad?

Miguel Delibes. *El loco*

13. Contraste [x] y [r] en interior de palabra. Escuche y repita:

1 jirafa   *3* jarabe   *5* jerez

2 girar   *4* jardín   *6* gerundio

texto

14. Contraste [x] y [r̄]. Marque las palabras con 1 ó 2 según el orden en que las escuche:

a) ② jamón   c) ○ gesto   e) ○ mojo

    ① Ramón   ○ resto   ○ morro

b) ○ juego   d) ○ jota   f) ○ baja

    ○ ruego   ○ rota   ○ barra

15. Escuche y complete la frase:

Jorge el ce__a_e_o vende ce__a_es en la ce__a_e_ía.

16. Contraste [d] y [r]. Escuche y marque la frase que oiga:

a) ⊗ No es todo importante   d) ○ Duda demasiado

    ○ No es toro importante   ○ Dura demasiado

b) ○ En cada uno de nosotros   e) ○ Mida con cuidado

    ○ Encara a uno de nosotros   ○ Mira con cuidado

c) ○ Está a la moda   f) ○ Le falló el codo

    ○ Está la mora   ○ Le falló el coro

Cuadro B

Casos especiales

• Cuando un prefijo terminado en vocal se añade a una palabra que empieza por la letra **r–**, esta letra cambia a **–rr–**:

    anti + reglamentario: antirreglamentario

• El prefijo **in–** (negación) cambia a **ir–** cuando se une a palabras que empiezan por **r–**:

    real: irreal

• Cuando una palabra que termina en vocal se une a otra que empieza por **r–** para formar una palabra compuesta, la **r–** cambia a **–rr–**:

    para + rayos: pararrayos

17. Una correctamente las palabras de las dos columnas para formar palabras compuestas:

1	contra	rector
2	auto	reloj
3	radio	receptor
4	vice	retrato
5	guarda	reactor
6	turbo	rojo
7	mono	ropa
8	peli	raíl

1	*contrarreloj*	5	....
2	....	6	....
3	....	7	....
4	....	8	....

18. Complete como en el ejemplo. Después escuche y compruebe:

1	real	*irreal*
2	resistible	....
3	rompible	....
4	reflexivo	....
5	recuperable	....
6	reversible	....
7	responsable	....
8	racional	....

Fonética, entonación y ortografía

| Cuadro **C** |

Enlaces de palabras

● Las palabras terminadas en **–r** se enlazan con las palabras siguientes que empiezan por vocal:

      *tener un rato: te–ne–**ru**n–ra–to*   *mar y playa: ma–**ry**–pla–ya*

● El contacto de la **–r** final de una palabra con la **r–** inicial de la siguiente hace que se pronuncie como una **[r̄]** múltiple un poco más larga:

      *color rojo: co–lo–**rro**–jo*

 19. Escuche y repita:

      1   ¿ser o no ser?

      2   licor amargo

      3   estar al corriente

      4   color rojo

      5   oír y escuchar

      6   tener razón

20. Subraye las r- finales que se enlazan con las vocales siguientes en estas frases hechas:

1	ser cose**r y** cantar	*6*	por amor al arte
2	dar un paso en falso	*7*	ver el cielo abierto
3	salir rana	*8*	ir hecho un pincel
4	echar el resto	*9*	tener entre ceja y ceja
5	erre que erre	*10*	pagar a toca teja

21. Escuche y separe las palabras que aparecen unidas:

1 ¿azúcarosal?: ...... *¿azúcar o sal?* ....

2 jugaralaoca: ....

3 sudorylágrimas: ....

4 crearunahistoria: ....

5 clasificadorrojo: ....

6 elsurexiste: ....

 22. Marque las frases con 1 ó 2 según el orden en que las escuche:

a) ② Color escocés

①   Color es con ce

b) ◯ Tener o no

◯ Tener honor

c) ◯ Acera derecha

◯ Hacerla derecha

d) ◯ Salí en grupo

◯ Salir en grupo

e) ◯ Conductor amable

◯ Conductora amable

f) ◯ Hablar a solas

◯ Hablarán solas

Fonética, entonación y ortografía

DIÁLOGO 10: En los grandes almacenes

Escuche y marque:
– Las sinalefas.
– Los enlaces de las palabras terminadas en –*r* con las vocales siguientes.

A. ¿Desea comprar algo, señor?

B. Sí, una camisa.

A. ¿Ha pensado en algún color en especial?

B. No sé. A lo mejor azul o marrón.

A. Muy bien. Por favor, espere aquí un momento.

***

A. ¿Le gusta esta azul?

B. Me encanta. ¿Puedo ir al probador?

A. Sí, el probador es por aquí.

B. Gracias.

A. ¿Qué tal?

B. Me queda algo pequeña. ¿Me deja ver una marrón?

A. Sí, le queda mejor ésta.

B. De acuerdo. Me la quedo.

A. ¿Con tarjeta?

B. No, voy a pagar en efectivo.

Escuche otra vez y repita las frases del interlocutor B.

Capítulo 11

El sonido [b] representado por las letras B y V.
La letra W

Cuadro A

● Las letras **b** (be) y **v** (uve) representan el mismo sonido y se pronuncian **[b]** en cualquier posición:

Bolivia   **b**ravo   a**b**sol**v**er

● La letra **w** (uve doble) es muy poco frecuente en español.

- Se pronuncia **[b]** en palabras procedentes del alemán:

Wagner   **W**att   **w**olframio

- Se pronuncia **[u]** o **[gu]** en palabras procedentes del inglés:

Washington   **w**hisky (también escrito güisqui)

- Pero en palabras totalmente incorporadas al español, esta letra se ha sustituido por **v**, y se pronuncia **[b]**:

váter (de water)   **v**agón (de wagon)   **v**atio (de watt)

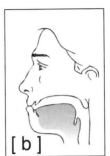

[b]

Los labios se unen totalmente y luego dejan salir el aire en una pequeña explosión. Las cuerdas vocales vibran.

 1. Escuche y repita:

1	boliviano	5	subvención
2	sobrevivir	6	bebible
3	bienvenido	7	abreviar
4	observaba	8	baobab

Fonética, entonación y ortografía

85

2. Escuche y repita:

1	whisky	4	Washington	7	sándwich
2	watt	5	Wagner	8	Darwin
3	web	6	walkman	9	waterpolo

3. Contraste [p] y [b]. Marque la palabra que oiga:

a) ⊗ par
    ○ bar

b) ○ pata
    ○ bata

c) ○ poca
    ○ boca

d) ○ parra
    ○ barra

e) ○ pelo
    ○ velo

f) ○ pez
    ○ vez

g) ○ paso
    ○ vaso

h) ○ pesa
    ○ besa

i) ○ pino
    ○ vino

j) ○ paño
    ○ baño

k) ○ pago
    ○ vago

l) ○ pista
    ○ vista

4. Contraste [p] y [b]. Escuche y escriba las palabras en el orden en que las escuche:

capa, cava, sube, supe, ropa, roba, jabón, Japón

1 ....cava....   3 ....   5 ....   7 ....

2 ....   4 ....   6 ....   8 ....

5. Algunas palabras del ejercicio anterior están en estas frases. Escuche y escríbalas:

1 En ...Japón... se .... la ropa con ....

2 He puesto un .... para cazar al ratón que me .... el queso.

3 Cuando .... la buena noticia, lo celebré con ....

6. Contraste [bl] y [b]. Escuche y repita cada par de palabras:

a) blanco   banco
b) bloca   boca
c) cable   cabe

d) blanquillo   banquillo
e) mueble   mueve
f) niebla   nieva

7. Contraste [br] y [b]. Marque las palabras con 1 ó 2 según el orden en que las escuche:

a) ① abre
② ave
b) ○ brisa
○ visa
c) ○ breve
○ bebe

d) ○ labra
○ lava
e) ○ brotar
○ botar
f) ○ cabra
○ cava

g) ○ broca
○ boca
h) ○ brazo
○ bazo
i) ○ cubro
○ cubo

8. Contraste [bl] y [br]. Escuche y marque la frase que oiga:

a) ○ No hable a nadie
⊗ No abre a nadie
b) ○ Es mejor si se blinda
○ Es mejor si se brinda
c) ○ Es tablilla
○ Esta brilla

d) ○ He visto cómo tiembla
○ He visto cómo siembra
e) ○ Esta se subleva
○ Esta es su breva
f) ○ Ábrale a cualquiera
○ Háblale a cualquiera

9. Escuche y marque la frase que oiga:

a) ○ Es una sesión
⊗ Es una obsesión
b) ○ Esto es subconsciente
○ Esto él lo consiente
c) ○ Tenía que absorber
○ Tenía que sorber

d) ○ Para no obtener nada
○ Para no tener nada
e) ○ Es subdirector
○ Es su director
f) ○ Está absuelta
○ Está suelta

Fonética, entonación y ortografía

10. Escuche y complete las palabras con la letra que falta *(b, v, w)*:

1 adver*b*io

2 __olframio

3 sal__a__idas

4 __ar__a

5 de__ol__er

6 no__iem__re

7 __e__erio

8 __oca__ulario

11. No confunda *HABER* con *A VER*. Subraye la forma correcta:

1 Tenía que <u>**haber**</u> / **a ver** hablado con ella antes.

2 Ana ha ido **haber** / **a ver** si han traído el paquete.

3 ¡**Haber** / **a ver** si te portas bien!

4 Tú no tienes silla por no **haber** / **a ver** llegado a la hora.

5 Vengo **haber** / **a ver** si han salido las notas del examen.

Cuadro B

Confusión de b y p a final de sílaba
- La **p** y la **b** a final de sílaba tienden a pronunciarse igual.
  a) Normalmente las dos se pronuncian **[b]** ante los sonidos **[θ]** y **[s]**:
     *op*ción *[obθión]*   *ab*sorber *[absorber]*
  b) Y las dos se pronuncian **[p]** en los demás casos:
     *ap*to *[apto]*   *ob*tuso *[optuso]*

---

12. Sonido [b]. Escuche y repita:

1 opción

2 bíceps

3 eclipse

4 egipcio

5 recepción

6 excepción

7 lapsus

8 sinopsis

13. Sonido [p]. Escuche y repita:

1	óptimo	*3*	apto	*5*	diptongo	*7*	adoptar
2	aceptar	*4*	Egipto	*6*	obtener	*8*	obtención

 14. Escuche y complete las palabras con la letra que falta *(p, b)*:

1	*ab*surdo	*3*	a__titud	*5*	o__cional	*7*	re__tar
2	a__domen	*4*	ó__tica	*6*	o__stinada	*8*	o__struir

Cuadro **C**

Formas verbales terminadas en -uve
● Si el pretérito indefinido de un verbo termina en **–uve, -uviste**..., las formas del subjuntivo conservan la letra **v**:

tener: **t**u**ve** – **t**u**viera** / **t**u**viese**
estar: est**uve** –est**uviera** / est**uviese**

● Igualmente, la **b** de **hube, hubiste**... se mantiene en las formas de subjuntivo:
hubiera / hubiese

15. Complete:

		1ª persona singular del pretérito indefinido	1ª persona singular del pretérito imperfecto de subjuntivo
1	andar	*anduve*	*anduviera o anduviese*
2	estar		
3	tener		
4	contener		
5	abstener		
6	retener		
7	sostener		
8	haber		

Fonética, entonación y ortografía

16. Escuche y escriba la forma verbal correcta:

1 Sus amigos .....*mantuvieron*..... la esperanza hasta el último momento. (**Mantener**)

2 Hice lo posible para que mi hijo .... una buena educación. (**Obtener**)

3 Llegué tarde porque me .... hablando con una vieja amiga. (**Entretener**)

4 Algunos ciudadanos dieron pistas para que la policía .... al ladrón. (**Detener**)

Cuadro D

Palabras homófonas

● Las palabras homófonas son las que suenan igual pero se escriben de manera diferente y también tienen distinto significado.

● Estas son las palabras homófonas más frecuentes que se diferencian en la escritura por las letras **b** y **v**:

baca: portaequipajes
vaca: animal

cabo: extremo de algo / categoría militar
cavo: forma del verbo "cavar"

bacilo: bacteria
vacilo: forma del verbo "vacilar"

combino: forma del verbo "combinar"
convino: forma del verbo "convenir"

barón: título aristocrático
varón: hombre

grabar: registrar sonidos / señalar con una
                    incisión
gravar: imponer un gravamen

basto: grosero
vasto: ancho

rebelar: sublevar
revelar: descubrir

bienes: posesiones
vienes: forma del verbo "venir"

sabia: que sabe mucho
savia: sustancia líquida de las plantas

botar: dar botes, saltos
votar: ejercer el derecho al voto

tubo: pieza hueca y cilíndrica
tuvo: forma del verbo "tener"

17. Escuche y complete las frases con las palabras que faltan:

grabadas / gravadas / grapadas

1 Necesito unas hojas ......*grabadas*........ con el nombre de la empresa.

2 Necesito unas hojas .... para que no se suelten.

tubo / tuvo / turbo

3 Le he cambiado el .... al motor de mi coche.

4 Le he cambiado el .... al motor de mi coche.

barón / varón /parón

5 Ha tenido un .... en la producción.

6 Ha tenido un .... al que llamará Luis.

combino / con vino / con pino

7 Este guiso está hecho ....

8 Este detergente está hecho ....

TRABALENGUAS

Lea estos trabalenguas y trate de repetirlos deprisa:

1. Dábale arroz a la zorra el abad.

2. Pablito clavó un clavito. Un clavito clavó Pablito.

3. Buscaba el bosque Francisco,
un vasco bizco, muy brusco,
y al verlo le dijo un chusco:
¿busca el bosque, vasco bizco?

Fonética, entonación y ortografía

Notas ortográficas sobre la B

Regla	Ejemplos
Algunas palabras que tienen el grupo *bs* se pueden escribir también sin la letra *B*.	*obscuro / oscuro* *obscurecer / oscurecer* *subscribir / suscribir* *substancia / sustancia* *substancial / sustancial* *substituir / sustituir* *substitución / sustitución* *substraer / sustraer* *substracción / sustracción* *substrato / sustrato* *substantivo / sustantivo*
Hay un importante grupo de palabras que se escriben obligatoriamente con *bs*.	*abstemio* *abstenerse* *abstraer* *obsceno* *obstáculo* *obstinar*
Se escriben con *B* las terminaciones de los pretéritos imperfectos de los verbos de la primera conjugación y la del verbo "ir".	*cantaba, cantabas, cantaba, cantábamos...* *besaba, besabas, besaba, besábamos...* *iba, ibas, iba, íbamos, ibais, iban*

Capítulo 12
El sonido [ĉ] representado por la letra CH.
La letra H

● La letra doble **ch** (che) representa un solo sonido y se pronuncia [ĉ]:

*ch*ico   mu*ch*a*ch*o

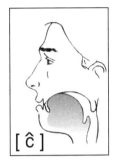

[ĉ]

La lengua cierra la salida del aire pegándose a una zona bastante ancha del paladar. Luego se separa un poco para dejar salir el aire despacio.

<u>Nota</u>: *cuando una palabra que empieza por **ch** debe escribirse en mayúscula, sólo se escribe así la primera letra (**Ch**ile).*

 1. Escuche y repita:

1 chupete	*3* lucha	*5* Chile	*7* chincheta	*9* chocolate	*11* chicharra
2 bache	*4* chichón	*6* colchón	*8* ancho	*10* ancho	*12* salchicha

 2. Contraste [s] y [ĉ]. Marque la palabra que oiga:

a) ○ oso
    ⊗ ocho

b) ○ mesa
    ○ mecha

c) ○ seco
    ○ checo

d) ○ peso
    ○ pecho

e) ○ musa
    ○ mucha

f) ○ silla
    ○ chilla

g) ○ casas
    ○ cachas

h) ○ salado
    ○ chalado

i) ○ mansa
    ○ mancha

Fonética, entonación y ortografía

3. Contraste [y] y [ĉ]. Escuche y escriba la letra que falta (*y, ch*):

a) mayo   ma**ch**o   *d)* le__es   le__es

b) ha__a   ha__a   *e)* ra__a   ra__a

c) ho__o   o__o   *f)* ca__o   ca__o

 4. Escuche y marque la frase que oiga:

a) ◯ Ya selló la carta   *d)* ◯ No existe

    ⊗ Ya se echó la carta   ◯ No es chiste

b) ◯ Toma y súbete   *e)* ◯ Un poco sí quito

    ◯ Toma el chupete   ◯ Un poco chiquito

c) ◯ Se acerca un vasco   *f)* ◯ Hay una sin bata

    ◯ Se acerca un chubasco   ◯ Hay una chivata

 5. Contraste [t], [d] y [ĉ]. Escuche y repita cada trío de palabras:

a) ata   hada   hacha

b) muta   muda   mucha

c) cata   cada   cacha

d) manta   manda   mancha

Cuadro B

El orden alfabético

La **ch** es una de las 24 letras del alfabeto español. Aunque es una letra doble **(c + h)** que representa un solo sonido, la Real Academia Española considera que, en cuanto a orden alfabético, las palabras con **ch** deben aparecer en el diccionario entre las palabras escritas con **ce** y las escritas con **ci**.

6. Escuche las palabras siguientes y escríbalas:

1	cuchillo	5	....	9	....
2	....	6	....	10	....
3	....	7	....	11	....
4	....	8	....	12	....

7. Ponga en orden alfabético las palabras del ejercicio anterior:

1	cachete	5	....	9	....
2	....	6	....	10	....
3	....	7	....	11	....
4	....	8	....	12	....

Cuadro C

- La letra **h** (hache) no representa ningún sonido en español. Y puede aparecer:
    - A principio de palabra: *h*ada   *h*ombre
    - En el interior de una palabra (hache intercalada): *ahora*   *deshielo*
    - A final de palabra (en algunas interjecciones): *¡oh!*   *¡bah!*

- En algunas palabras de origen extranjero, la **h** se pronuncia como el sonido **[x]** suave:

    hachís   *hitleriano*

- Como la letra **h** no se pronuncia, se producen sinalefas entre palabras:

    *dicho **y h**echo*   *aquí **hay** uno*

Fonética, entonación y ortografía

8. Escuche y repita:

1	hola	6	Huelva
2	vehículo	7	Honduras
3	hombre	8	¡bah!
4	hermano	9	deshielo
5	ahora	10	prohibir

9. Escuche y complete usando los prefijos *des–* o *in–*:

1   *hielo* ....*deshielo*...............

2   habitar ....

3   hábil ....

4   honrar ....

5   heredar ....

6   honesto ....

7   humano ....

8   habitable ....

10. Escuche y complete las palabras con las letras que faltan (*h, ch*):

1   *hache*

2   ca__ __iva__ __e

3   cu__ __i__ __eo

4   __ __ele__ __o

5   __ __in__ __ado

6   no__ __e

7   __ __e__ __o

8   abro__ __ar

11. Escuche estas citas y complételas con las palabras que faltan:

1 Por .... mucho .... que valga un ....
nunca tendrá valor más alto que el de ser ....
(Antonio Machado)

2 Cada cual es como Dios le ...., pero llega a
ser como él mismo se .... (Miguel Servet)

3 Cuanto más .... es un ....,
más le cuesta .... que los otros no lo sean.

(Cicerón)

12. Lea estos refranes y subraye las sinalefas:

1 Antes d**e h**acer nada, consúltalo con l**a a**lmohada.

2 Huéspedes vinieron y señores se hicieron.

3 En casa del ahorcado no hay que nombrar la soga.

4 Cosa hallada no es hurtada.

5 De tu hijo espera lo que con tu padre hicieras.

6 Donde no hay sustancia no hay ganancia.

 13. Escuche y separe las palabras que aparecen unidas:

1 aquíhaydetodo: .... *aquí hay de todo* ....

2 porahíestará: ....

3 lohizomihermano: ....

4 mehahechoeso: ....

5 voyhoy: ....

6 nohadichonihola: ....

Fonética, entonación y ortografía

Palabras homófonas

● Las palabras homófonas son las que suenan igual pero se escriben de manera diferente y también tienen distinto significado.

● Estas son las palabras homófonas con **h** o sin **h** en las que es más frecuente cometer errores:

ha: forma del verbo "haber"
a: preposición

he: forma del verbo "haber"
e: conjunción

hay: forma impersonal del verbo "haber"
ay: interjección

hecho: forma del verbo "hacer"
echo: forma del verbo "echar"

azahar: flor blanca
azar: casualidad

herrar: poner una herradura
errar: equivocarse

deshecho: forma del verbo "deshacer"
desecho: forma del verbo "desechar"

hizo: forma del verbo "hacer"
izo: forma del verbo "izar"

habría: forma del verbo "haber"
abría: forma del verbo "abrir"

hojear: pasar las hojas
ojear: mirar de forma rápida y superficial

¡hala!: interjección
ala: parte del cuerpo de las aves

hola: saludo
ola: movimiento de la superficie del mar

hasta: preposición
asta: cuerno / palo largo

hora: 60 minutos
ora: forma del verbo "orar"

haya: forma del verbo "haber"
aya: niñera

rehusar: rechazar
reusar: volver a usar

 14. Escuche y complete las frases con las palabras que faltan:

habría / abría / haría

1 No ......*haría*...... falta que vinieras.

2 No .... hecho falta que vinieras.

¡hala! / ala / sala

3 Tenía un .... más grande.

4 Tenía una .... más grande.

hecho / echo / techo

5 Te .... de menos.

6 He .... uno de menos.

haya / aya / vaya

7 Espero que .... contigo.

8 Espero que .... venido.

15. Marque las frases con 1 ó 2 según el orden en que las escuche:

a) ① Ora ahora

　　② Ahora, ahora

b) ○ Él nunca lo haría

　　○ Él nunca lo abría

c) ○ Espero que haya

　　○ Espero al aya

d) ○ No echo nada

　　○ No he hecho nada

e) ○ Habría estado bien

　　○ Abría ésta bien

f) ○ Hoy ha de venir

　　○ Hoy voy a venir

TRABALENGUAS

Lea estos trabalenguas y trate de repetirlos deprisa:

1. Pancha plancha con cuatro planchas.
¿Con cuántas planchas plancha Pancha?

2. María Chucena techaba su choza cuando un leñador que por allí pasaba le dijo:
　– María Chucena, ¿techas tu choza o techas la ajena?
　– Ni techo mi choza ni techo la ajena, techo la choza de María Chucena.

3. Me han dicho
　que has dicho un dicho,
　un dicho que he dicho yo,
　ese dicho que te han dicho
　que yo he dicho, no lo he dicho;
　y si yo lo hubiera dicho,
　estaría muy bien dicho
　por haberlo dicho yo.

Fonética, entonación y ortografía

Notas ortográficas sobre la H

Regla	Ejemplos
Se escriben con *H* todas las palabras que empiezan por diptongo.	*hiato, hielo, hueso, huida*
Hay algunas palabras que se pueden escribir con H o sin ella. Aunque la Real Academia Española prefiere las escritas en primer lugar.	*¡ah! / ¡ha!, ¡uf! / ¡huf!* *armonía / harmonía* *hexágono / exágono* *urraca / hurraca* *sabihondo / sabiondo* *arpa / harpa*

Capítulo 13
El sonido [l] representado por la letra L

Cuadro A

● La letra **l** (ele) se pronuncia **[l]** en cualquier posición:

lado   *cola*   *isla*
doble   *árbol*

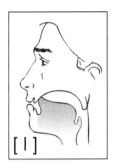

[l]

La punta de la lengua toca el principio del paladar, y luego se separa despacio dejando salir el aire por los laterales de la boca.

---

 1. Escuche y repita:

1	loco	*5*	Colombia
2	árbol	*6*	lista
3	planta	*7*	sol
4	selva	*8*	isla

 2. Escuche y repita cada par de palabras:

a)	blindar	lindar	*e)*	blusa	lusa	*i)*	platino	latino
b)	clavo	lavo	*f)*	clima	lima	*j)*	cloro	loro
c)	flaca	laca	*g)*	globo	lobo	*k)*	plana	lana
d)	plata	lata	*h)*	plazo	lazo	*l)*	plomo	lomo

Fonética, entonación y ortografía

3. Escuche y marque la frase o expresión que oiga:

a) ◯ Clamar al cielo

⊗ La mar y el cielo

b) ◯ ¿Por qué vas con flechas?

◯ ¿Por qué vas y la echas?

c) ◯ Flora meridional

◯ La hora meridional

d) ◯ Sentir placer

◯ Sentirlo hacer

e) ◯ Es de plata

◯ Es de lata

f) ◯ Hombre esclavo

◯ Hombre eslavo

4. Contraste [r] y [l]. Marque las palabras con 1 ó 2 según el orden en que las escuche:

a) ② hora

① ola

b) ◯ poro

◯ polo

c) ◯ abrir

◯ abril

d) ◯ pero

◯ pelo

e) ◯ pera

◯ pela

f) ◯ harto

◯ alto

g) ◯ para

◯ pala

h) ◯ lira

◯ lila

i) ◯ sor

◯ sol

5. Escuche y complete las palabras con la letra que falta *(l, r)*:

1 acalorado

2 o__ácu__o

3 ac__a__ado

4 ó__eo

5 __au__e__

6 __i__io

7 __i__ismo

8 a__i__ón

9 pa__a__e__o

10 vo__a__

6. Escuche el siguiente poema y complételo con las letras que faltan (*l, r*):

Sob_e el co_azón un anc_a
y sob_e e_ anc_a una est_ella
y sob_e _a est_ella e_ viento
y sob_e e_ viento _a ve_a.

Rafael Alberti

7. Diferentes contrastes. Subraye la palabra que oiga:

a)	**lado**	dalo	*e)*	lava	bala	*i)*	lapa	pala
b)	malo	lamo	*f)*	tala	lata	*j)*	luna	nula
c)	cola	loca	*g)*	sola	losa	*k)*	cala	laca
d)	bola	loba	*h)*	asilo	aliso	*l)*	chulo	lucho

Cuadro B

Enlaces de palabras

• Las palabras terminadas en **–l** se enlazan con las palabras siguientes que empiezan por vocal:

*editorial Edelsa: e–di–to–ria–**le**–del–sa*   *sol y playa: so–**ly**–pla–ya*

El contacto de la **–l final** de una palabra con la **l– inicial** de la siguiente hace que se pronuncien como una **[l]** más larga:

el libro: e^l–li–bro   *mil luces: mi^l–lu–ces*

8. Escuche y repita:

1	el aire	*4*	el hecho	*7*	al agua
2	tal y cual	*5*	abril y mayo	*8*	del alma
3	vocal larga	*6*	¡al ladrón!	*9*	túnel oscuro

Fonética, entonación y ortografía

9. Subraye las sinalefas y los sonidos que se enlazan:

1 e**l e**scrito **y el o**ral

2 a la ida y a la vuelta

3 el ideal español

4 personal e intransferible

5 vi un documental en televisión

6 un local en Lugo

7 al este del Edén

8 el final es malo

9 yogur natural azucarado

1 0 le puse el cascabel al animal

10. Escuche y separe las palabras que aparecen unidas:

1 salalahora: ......*sal a la hora*..

2 talycomoes: ....

3 elléxicoespañol: ....

4 esunfielamigo: ....

5 duraunasmilhoras: ....

6 esunfósileuropeo: ....

7 caracolalsol: ....

11. Marque las expresiones con 1 ó 2 según el orden en que las escuche:

a) ① Así es el efecto
   ② Así es en efecto

b) ○ El hospital es ahí
   ○ Hospitales no hay

c) ○ Ese no es el hecho
   ○ Ese no es el lecho

d) ○ El aura es muy agradable
   ○ Laura es muy agradable

e) ○ Mal hablado
   ○ Me han hablado

f) ○ El eco de su voz
   ○ Él le pone su voz

g) ○ Leche y harina
   ○ Le eche harina

h) ○ El valor del loro
   ○ El valor del oro

DIÁLOGO 13: En la consulta del médico

Escuche y marque:
– **Las sinalefas.**
– **Los enlaces de las palabras terminadas en –*l* con las vocales siguientes.**

A. Buenas tardes, doctora. Me llamo Pascual Alonso.

B. Dígame, ¿qué le pasa?

A. Verá: tengo manchas en la piel y por todo el cuerpo.

B. Déjeme ver. ¿Le duele?

A. Sí, me siento mal en general.

B. ¿Ha tomado el sol últimamente?

A. No, pero soy albañil y algo me da.

B. ¿Bebe alcohol o fuma?

A. No fumo. Pero alcohol lo normal: una copa en las comidas.

B. Tendré que mandarlo al hospital en seguida.

A. ¿Por qué? ¿Cuál es el problema?

B. No me gusta el aspecto que tiene. Le pediré un análisis general.

Escuche otra vez y repita las frases de la doctora.

Fonética, entonación y ortografía

Capítulo 14

El sonido [ḷ] representado por la letra LL. Los diferentes sonidos representados por la letra Y

Cuadro A

- La letra doble **ll** (elle) representa un solo sonido y se pronuncia **[ḷ]**:

  llave   be**ll**eza

La mayor parte de los hablantes de español pronuncian el sonido **[ḷ]** como **[y]** (ver Cuadro C).

<u>Nota</u>: *cuando una palabra que empieza por **ll** debe escribirse en mayúscula, sólo se escribe así la primera letra (**Ll**obregat).*

[ḷ]

La punta de la lengua se pone en los dientes inferiores. El resto de la lengua se pega a una zona bastante ancha del paladar. Luego se separa dejando salir el aire por los dos lados.

---

 1. Escuche y repita:

1 llavero	*3* airecillo	*5* llorar	*7* billete
2 gallina	*4* lluvioso	*6* millón	*8* Sevilla

 2. Contraste [l] y [ḷ]. Escuche y repita cada par de palabras:

a)	mala	malla	*d)* pilar	pillar
b)	vale	valle	*e)* loro	lloro
c)	ala	halla	*f)* velo	bello

3. Contraste [l] y [ʎ]. Marque con una cruz la palabra que oiga:

a) ○ enroló   d) ○ ola   g) ○ calar
   ⊗ enrolló   ○ olla   ○ callar
b) ○ polo   e) ○ bolo   h) ○ Alá
   ○ pollo   ○ bollo   ○ allá
c) ○ legar   f) ○ lana   i) ○ loro
   ○ llegar   ○ llana   ○ lloro

4. Escuche y complete las palabras con la letra que falta (l, ll):

1 muelle   3 ca__ __o   5 ma__ __a   7 pe__ __o   9 po__ __o
2 cue__ __o 4 __ __ima 6 pi__ __a   8 pi__ __a 10 __ __ama

5. Contraste [r] y [ʎ]. Escuche e indique el orden en que se pronuncian estas palabras:

☐ milla   ☐ mira   ☐ ralla   ☐ rara
  ☐ callo   ☐ caro   ☐ valla   [1] vara
☐ ella   ☐ era   ☐ cuero   ☐ cuello

6. Marque las palabras con 1 ó 2 según el orden en que las escuche:

a) ② mirra   d) ○ barre   g) ○ regar
   ① milla   . ○ valle   ○ llegar
b) ○ carro   e) ○ arras   h) ○ tarro
   ○ callo   ○ hallas   ○ tallo
c) ○ rana   f) ○ rubia   i) ○ serrar
   ○ llana   ○ lluvia   ○ sellar

7. Escuche y escriba qué palabra falta en cada frase:

1 ¿Te apetece compartir un .... *polo* .... ?

      a) poro   b) polo   c) pollo

2 Me hirió en el brazo con una ....

      a) vara   b) bala   c) valla

3 Esta falda tiene una .... demasiado grande.

      a) tara   b) tala   c) talla

4 ¿Me pasas un ...., por favor?

      a) boro   b) bolo   c) bollo

 8. Contraste [ĉ] y [ḷ]. Escuche y complete las palabras con la letra que falta (ch, ll):

a)   *bache*   *valle*   *c)*   ra__ __a ra__ __a   *e)*   ta__ __a ta__ __a

b)   e__ __a e__ __a   *d)*   fa__ __a fa__ __a   *f)*   ha__ __a ha__ __a

 9. Escuche y marque la frase que oiga:

a) ⊗ No hay gachas   *d)* ◯ Se enroló en el último momento

    ◯ No hay agallas   ◯ Se enrolló en el último momento

b) ◯ Los va a apilar   *e)* ◯ Se le rompió el tarro

    ◯ Los va a pillar   ◯ Se le rompió el tallo

c) ◯ Échale la culpa a él   *f)* ◯ No ha hecho mecha

    ◯ Ella le culpa a él   ◯ No ha hecho mella

Cuadro B

El orden alfabético

● La **ll** es una de las 24 letras del alfabeto español. Aunque es una letra doble **(l + l)** que representa un solo sonido, la Real Academia Española considera que, en cuanto a orden alfabético, las palabras con **ll** deben aparecer en el diccionario entre las palabras escritas con **li** y las escritas con **lo**.

10. Escuche las palabras siguientes y escríbalas:

1 ......*ladrillo*.........   *6* ....

2 ....   *7* ....

3 ....   *8* ....

4 ....   *9* ....

5 ....   *10* ....

11. Ponga en orden alfabético las palabras del ejercicio anterior:

1 ......*ladrillo*.........   *6* ....

2 ....   *7* ....

3 ....   *8* ....

4 ....   *9* ....

5 ....   *10* ....

Cuadro C

● La letra **y** (i griega) puede representar dos sonidos diferentes:

– El sonido consonántico **[y]** en posición inicial o interior de palabra:

    yo   **y**ate   a**y**er

– El sonido vocálico **[i]** en posición final de palabra:

    re**y**   vo**y**   bue**y**

● La letra **y** sólo aparece a final de palabra si el sonido **[i]** es átono. Porque si es tónico se escribe **í** con tilde:

    re**í**   marroqu**í**

El yeísmo

● La mayor parte de los hablantes de español pronuncian igual el sonido **[ḷ]** y el sonido **[y]**. Los dos sonidos los pronuncian como **[y]**. Es el fenómeno del **yeísmo**. Se pronuncian igual: *ca**ll**ó / ca**y**ó*   *ha**ll**a / ha**y**a*

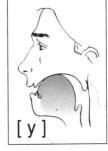

[y]

La punta de la lengua se pone en los dientes inferiores. El resto se pega a una zona bastante ancha del paladar. Luego se separa un poco dejando salir el aire despacio. Las cuerdas vocales vibran.

Fonética, entonación y ortografía

12. Escuche y repita:

1	ya	4	yema	7	mayo
2	ayer	5	coyote	8	yogur
3	uruguayo	6	yegua	9	apoyar

 13. Contraste [ĺ] y [y]. Escuche y repita cada par de palabras:

a) callo	cayo	*d)* halla	haya	*g)* hulla	huya
b) malla	maya	*e)* calló	cayó	*h)* pollo	poyo
c) rallar	rayar	*f)* valla	vaya	*i)* pulla	puya

14. Complete las palabras con las letras que faltan *(y, ll, hi)*:

1	*hi*edra	3	__ __eno	5	__ __ave	7	__ __erro	9	__ __erba
2	ma__ __ores	4	gua__ __aba	6	des__ __elo	8	ta__ __o	10	__ __ace

 15. Contraste [ĉ] y [y]. Marque la palabra que oiga:

a) ⊗ cacho	*c)* ○ macho	*e)* ○ hacha	*g)* ○ ocho
○ cayo	○ mayo	○ haya	○ hoyo
b) ○ leches	*d)* ○ Chema	*f)* ○ racha	*h)* ○ pocho
○ leyes	○ yema	○ raya	○ poyo

 16. Escuche y repita:

1	rey	4	Paraguay
2	buey	5	hay
3	voy	6	hoy

17. Escuche y repita:

1	doy	*3*	anteayer	*5*	virrey	*7*	payaso
2	afluye	*4*	¡huy!	*6*	soy	*8*	yeísta

 18. Escuche y complete las palabras con la letra que falta *(y, í)*:

a) hoy   oí   *c)* le__   le__

b) re__   re__   *d)* ha__   ah__

19. Subraye las sinalefas y los sonidos que se enlazan:

1	ag**ua y** yeso	*5*	se ha hecho hielo
2	voy a leer	*6*	vitamina y hierro
3	hay yema de huevo	*7*	hoy estoy en Paraguay
4	me reí yo	*8*	esplendor en la hierba

 20. Marque lo que oiga:

a) ○ ¡Llámale!
    ⊗ ¡Ya vale!

b) ○ Haya paz
    ○ Hay ya paz

c) ○ Buey enfermo
    ○ Voy enfermo

d) ○ Era alto, pero llano
    ○ Era alto, pero ya no

e) ○ ¿Hoy es fiesta?
    ○ ¿Oyes fiesta?

f) ○ Estaba lloviendo
    ○ La estaba yo viendo

Cuadro D

Modificaciones ortográficas en verbos

● Los verbos terminados en **–eer**, **–aer**, **–uir**, **–üir** cambian la **i** en **y** en los tiempos siguientes:

– Terceras personas del pretérito indefinido.
– Pretérito imperfecto de subjuntivo.
– Gerundio:

    leer: *le**y**ó, le**y**eron / le**y**era o le**y**ese / le**y**endo*

21. Complete el cuadro:

Infinitivo	3ª persona plural del pretérito indefinido	1ª persona singular del imperfecto de subjuntivo	gerundio
1 caer	cayeron	cayera o cayese	cayendo
2 concluir			
3 argüir			
4 decaer			
5 creer			
6 poseer			
7 influir			
8 atribuir			
9 excluir			
10 proveer			

22. Lea el texto y complete los espacios en blanco con las formas verbales correctas:

Estaba muy oscuro y tenía miedo. De repente .....oyó..... (oír) unas voces extrañas detrás de ella. Se giró y vio a un grupo de personas vestidas de negro. Iban hacia ella y .... (creer) que querían hacerle daño. .... (huir) a toda velocidad, pero se .... (caer) por unas escaleras que estaban .... (construir).

Palabras homófonas

- Las palabras homófonas son las que suenan igual pero se escriben de manera diferente y también tienen distinto significado.
- Estos son algunos ejemplos de palabras homófonas con **ll** y con **y**. Estas palabras son homófonas sólo para los hablantes yeístas.

arrollo: forma del verbo "arrollar"	**malla:** red
arroyo: río pequeño	**maya:** pueblo americano
callado: forma del verbo "callar"	**pollo:** ave
cayado: bastón	**poyo:** banco de piedra
calló: forma verbo "callar"	**pulla:** dicho irónico
cayó: forma del verbo "caer"	**puya:** punta de acero
halla: forma del verbo "hallar"	**rallar:** desmenuzar algo con el rallador
haya: forma del verbo "haber" / árbol	**rayar:** trazar rayas
hulla: tipo de carbón	**valla:** línea de estacas o de tablas
huya: forma del verbo "huir"	**vaya:** forma del verbo "ir"

 23. Marque las frases con 1 ó 2 según el orden en que las escuche:

a) ② No hay ni un rollo
   ① No hay un arroyo

b) ○ Iba ya pero se ha vuelto
   ○ Hay valla y se ha vuelto

c) ○ Ha dicho que es maya
   ○ Ha dicho que se desmaya

d) ○ Está muy callado
   ○ Está muy encallado

e) ○ Me invitó a comer pollo
   ○ Me invitó a comer repollo

f) ○ Vaya hacia la puerta
   ○ Va ya hacia la puerta

g) ○ Yo te apoyo siempre
   ○ Pero voy yo siempre

h) ○ Un momento, que te arrollo
   ○ Un momento, que te abro yo

i) ○ Te vio y se calló
   ○ Te vi de cerca yo

j) ○ No les huya
   ○ No es suya

Fonética, entonación y ortografía

TRABALENGUAS

Lea estos trabalenguas y trate de repetirlos deprisa:

1. Tres pollos bolos peludos.
    Tres peludos pollos bolos.

2. El cielo está enladrillado.
    ¿Quién lo desenladrillará?
    El desenladrillador que lo desenladrille
    buen desenladrillador será.

3. Hoy ya es ayer
    y ayer ya es hoy,
    ya llegó el día,
    y hoy es hoy.

4. Comí chirimoyas, me enchirimoyé,
    ahora, para desenchirimoyarme,
    ¿Cómo me desenchirimoyaré?

Palabras que se pueden escribir de dos formas
(A la izquierda la forma preferida
por la Real Academia Española)

hierba	yerba
hiedra	yedra
mayonesa	mahonesa
poni	póney

Capítulo 15

El sonido [m] representado por la letra M.
Y el sonido [n] representado por la letra N

Cuadro A

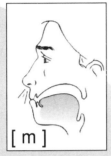

[m]

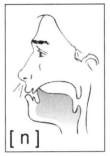

[n]

Los labios se unen totalmente y luego dejan salir el aire en una pequeña explosión. Parte del aire sale por la nariz.

La punta de la lengua se pone entre los dientes superiores y el principio del paladar, tapando la salida del aire por la boca. Éste sale todo por la nariz.

- La letra **m** (eme) se pronuncia **[m]**:

    muela   *cama*   *gamba*

La letra **m** aparece a final de palabra en algunas onomatopeyas y en algunas palabras de origen extranjero. Este sonido se pronuncia **[n]**:

    ¡pum!   *álbum*   *réquiem*

- La letra **n** (ene) se pronuncia **[n]**:

    no   *uno*   *cansado*   *salen*

Pero delante de la letra **v** se pronuncia **[m]**:

    convidar   *envío*

---

 1. Sonido [m]. Escuche y repita:

1 mamá	*4* Málaga	*7* amor
2 cama	*5* comida	*8* tiempo
3 hombre	*6* convivir	*9* gamba

Fonética, entonación y ortografía

2. Sonido [n]. Escuche y repita:

1	nada	3	noche	5	junio	7	carne	9	fino
2	cantan	4	cansado	6	enlace	8	almacén	10	álbum

3. Marque las palabras con 1 ó 2 según el orden en que las escuche:

a) ① nunca   c) ○ manta   e) ○ planto
    ② nuca   ○ mata   ○ plato

b) ○ canta   d) ○ vente   f) ○ siente
    ○ cata   ○ vete   ○ siete

4. Escuche y complete las palabras con las letras que faltan (m, n):

1   enamorar   5   ulti__átu__

2   __arge__   6   __exica__o

3   her__a__o   7   a__able__e__te

4   ca__eri__o   8   referé__du__

5. Contraste [m] y [n]. Marque la palabra que oiga:

a) ⊗ muevo   d) ○ rama   g) ○ como
    ○ nuevo   ○ rana   ○ cono

b) ○ mamar   e) ○ amo   h) ○ mi
    ○ manar   ○ ano   ○ ni

c) ○ tomo   f) ○ cama   i) ○ mata
    ○ tono   ○ cana   ○ nata

6. Escuche y complete las letras que faltan en este trabalenguas:

Cuando cue__tas cue__tos __u__ca cue__tas cuá__tos cue__tos cue__tas, porque cua__do cue__tas cue__tos sie__pre cue__tas __e__os cue__tos de cua__tos cue__tos cue__tas. TRABALENGUAS

116

7. Contraste [l] y [n]. Escuche y escriba la letra que falta (*l, n*):

a) malo   mano

b) sa__a   sa__a

c) ca__a   ca__a

d) fi__a   fi__a

e) __ado   __ado

f) bue__o   vue__o

8. Contraste [d] y [n]. Subraye lo que oiga:

1 Ésta es mi **dieta** / _**nieta.**_

2 Sujeta la correa de este **modo** /**mono**.

3 Necesitaré tela **doble** / **noble**.

4 Me dio un **dardo** / **nardo**.

5 Yo no **opino** / **pido** nada.

9. Complete el cuadro como en los ejemplos. Después escuche y compruebe:

1	correcto	*incorrecto*
2	posible	*imposible*
3	borrable	*imborrable*
4	paciente	
5	perfecto	
6	voluntario	
7	exacto	
8	batible	
9	par	
10	formal	

10. Escuche y complete las palabras con la letra que falta (*m, n*):

1 cambio

2 i__vierno

3 aca__par

4 sie__pre

5 e__volver

6 tra__vía

7 i__vadido

8 sí__bolo

Fonética, entonación y ortografía

Cuadro B

Los grupos -mm-, -nn-, -mn- y -nm-

● En algunas palabras se combinan las letras **n** y **m** (–mm–, –nn–, –mn– y –nm–). En estos casos el primer sonido se relaja un poco y suele pronunciarse sólo el segundo:

     *ga**mm**a*   *i**nn**ato*   *alu**mn**o*   *e**nm**endar*

Los grupos ins-, cons- y trans-

● En las palabras que tienen los grupos **ins–**, **cons–** y **trans–** (ver *Apéndice* de este capítulo) se pronuncia en general una **n** muy débil y breve, que se pierde por completo en el habla popular:

     *in**s**tante [i^n**s**tante] o [i**s**tante]*   *con**s**tante [co^n**s**tante] o [co**s**tante]*

11. Escuche y repita:

1	innato	*3*	Emma	*5*	enmendar	*7*	conmemorar
2	himno	*4*	amnesia	*6*	inmaduro	*8*	perenne

12. Escuche y complete las palabras con las letras que faltan (*mm, nn, mn, nm*):

1	co**nm**igo	*6*	calu__ __ia
2	inde__ __e	*7*	e__ __arcar
3	i__ __ecesario	*8*	inde__ __izar
4	co__ __over	*9*	gi__ __asia
5	i__ __ediato	*10*	e__ __egrecer

13. Escuche y marque la frase que oiga:

a) ⊗ Debe constar lo que hemos dicho
    ○ Debe costar lo que hemos dicho

b) ○ Creo que fui insensato
    ○ Creo que fui sensato

c) ○ Quedó un instante
    ○ Quedó muy distante

d) ○ No estoy insatisfecho
    ○ No estoy satisfecho

e) ○ Se ve más claro en la instancia
    ○ Se ve más claro en la distancia

f) ○ Saqué casi insuficiente
    ○ Saqué casi suficiente

Enlaces de palabras

● Las palabras terminadas en **–n** se enlazan con las palabras siguientes que empiezan por vocal:

*ve**n a**quí: ve-**na**-quí*   *so**n e**llos: so-**ne**-llos*

● La **–n** final de palabra en contacto con una **n–** inicial se relaja o se reduce a una sola **n** un poco más larga:

*u**n n**iño: uni**ñ**o o u^{n}niño*

● La **–m** final de palabra se pronuncia normalmente como [**n**], y también se enlaza con las palabras siguientes que empiezan por vocal:

*álbu**m e**spañol: ál-bu-**nes**-pa-ñoles*

 14. Escuche y repita:

1 bien hecho	*4* un nervio	*7* van ocho
2 álbum en colores	*5* *boom* económico	*8* pan y aceite
3 turrón navideño	*6* referéndum argentino	*9* buen hombre

15. Subraye las sinalefas y los sonidos que se enlazan:

1 e**n u**n gra**n a**gujero

2 pilotan un avión

3 pon eso en otro sitio

4 a imagen y semejanza

5 ¿quién es?

6 con el corazón a cien

7 tienen el currículum actualizado

8 piden algún ayudante

9 ¿son esos tan altos?

10 joven y bien educado

Fonética, entonación y ortografía

16. Escuche y separe las palabras que aparecen unidas:

1 unexamenescrito: ....*un examen escrito*............................

2 vienensinnada: ....

3 ¿medanalgúnejemplo?: ....

4 vieronaalguienentucasa: ....

5 estánaquíotravez: ....

6 unapasiónamorosa: ....

 17. Marque las frases con 1 ó 2 según el orden en que las escuche:

a) ① No sólo son hombres
   ② No sólo son nombres

b) ○ Eso no son algas
   ○ Eso no son nalgas

c) ○ Un novillo perdido
   ○ Un ovillo perdido

d) ○ Un nuevo plato
   ○ Un huevo al plato

e) ○ Es un hada
   ○ De eso nada

f) ○ Un ave que no vuela
   ○ Una nave que no vuela

g) ○ Es unido
   ○ Es un nido

h) ○ Han hablado de ti
   ○ Ana ha hablado de ti

Cuadro D

● Hay palabras terminadas en **–n** que tienen un significado diferente si se escriben juntas o separadas. Pero se pronuncian igual de las dos maneras.

con que: preposición "con"+"que"
conque: enlace gramatical

en torno: alrededor
entorno: conjunto de circunstancias

quien quiera: "quien"+verbo "querer"

quienquiera: alguno, cualquiera

sin razón: preposición "sin"+"razón"
sinrazón: acción hecha contra la razón

sin sabor: preposición "sin"+"sabor"
sinsabor: pesar, disgusto

sin vergüenza: preposición "sin"+
               "vergüenza"
sinvergüenza: descarado

sin fin: preposición "sin"+"fin"
sinfín: gran cantidad

tan bien: "tan"+"adverbio" bien
también: adverbio de afirmación =
"además"

sin número: preposición "sin"+"número"
sinnúmero: cantidad muy grande

tan poco: "tan"+indefinido "poco"
tampoco: adverbio de negación

---

 18. Escuche las frases publicitarias y complételas con las palabras que faltan:

1. Mejoramos su ....*entorno*........ (en torno / entorno), y lo hacemos ....
(tan bien / también) que no se nota.

2. Nuestros comerciales se presentan con una sonrisa, ...
(quien quiera / quienquiera) que sea el cliente.

3. Un .... (sin fin / sinfín) de opciones para que su comida no se quede
.... (sin sabor / sinsabor).

DIÁLOGO 15: ¡Cómo son ellos!

 Escuche y marque:
– **Las sinalefas.**
– **Los enlaces de las palabras terminadas en –*n* con las vocales siguientes.**

A. Mira, allí están Eva y Carmen.
B. Sí. ¡Son unas chicas tan encantadoras!

A. Para mí son horribles.

B. ¿Pero qué dices? A mí me gustan ambas. ¡Qué guapas vienen hoy!

A. Pues creo que ellas prefieren a Ramón. Van a su lado y lo miran entusiasmadas.

B. Ramón no es rival. Ten en cuenta que es joven e inexperto.

A. Sí, pero ellas ya le han elegido.

B. ¿De quién hablas?

A. ¿De quién hablo? De Ramón. Están enamoradas de él. ¿No lo ves?

B. Las chicas no saben nada de hombres. Viven en otro mundo.

A. Ya, pero se fijan en los más guapos.

B. Bueno, te dejo. Tengo un examen a la una.

A. Hasta luego, don Juan.

Escuche otra vez y repita las frases del interlocutor B.

Notas ortográficas sobre la N

Regla	Ejemplos
Algunas palabras que tienen el grupo *trans* se pueden escribir también sin la letra *n*.	*transbordo / trasbordo* *transcurso / trascurso* *translación / traslación* *transcendente / trascendente* *translucir / traslucir* *transformación / trasformación* *transgredir / trasgredir* *transparencia / trasparencia* *transpirar / traspirar* *transmitir / trasmitir*
Hay palabras que sólo se pueden escribir con *trans*.	*transacción* *transición* *transeúnte* *transigir* *transitar* *tránsito* *transitorio*
Hay palabras que sólo se pueden escribir con *tras*.	*trasluz* *traspasar* *traspaso* *trasplantar* *trasto* *trastocar* *trastienda*

Fonética, entonación y ortografía

Capítulo 16

El sonido [ɲ] representado por la letra Ñ

- La letra **ñ** (eñe) se pronuncia **[ɲ]**:

  año   *ñoño*   *campaña*

[ɲ]

La punta de la lengua se pone en los dientes inferiores. El resto de la lengua se pega a una zona bastante ancha del paladar. El aire sale todo por la nariz.

1. Escuche y repita:

1 España	*3* añadir	*5* niño	*7* ñoñería
2 compañía	*4* acompañar	*6* extraño	*8* señora

2. Contraste [y] y [ɲ]. Escuche y escriba las palabras en el orden en que las escuche:

ayo, año, huya, uña, mayo, maño, vaya, baña, cayo, caño

1 .... *mayo* ....   *6* ....

2 ....   *7* ....

3 ....   *8* ....

4 ....   *9* ....

5 ....   *10* ....

3. Contraste [l] y [n]. Marque la palabra que oiga:

a) ○ pilla   c) ○ callada   e) ○ valle
     ⊗ piña   ○ cañada   ○ bañe

b) ○ villa   d) ○ calla   f) ○ hulla
     ○ viña   ○ caña   ○ uña

4. Escuche y escriba qué palabra falta en cada frase:

1   Es pronto, todavía no se ......*vaya*.......

    a) baña   b) vaya   c) valla

2   Prefiero tener el .... tapado.

    a) caño   b) cayo   c) callo

3   Para hacer eso se necesita un poco de ....

    a) maña   b) maya   c) malla

4   Se te ha quedado la .... negra.

    a) uña   b) huya   c) hulla

5   He tenido un .... muy malo.

    a) año   b) ayo   c) hallo

5. Contraste [c] y [n]. Escuche y repita cada par de palabras:

a) macho   maño   c) nicho   niño   e) bache   bañe

b) cacho   caño   d) hucha   uña   f) empacha empaña

6. Escuche y marque la frase que oiga:

a) ○ No me enganches   c) ○ Pon el pecho
     ⊗ No me engañes   ○ Pon empeño

b) ○ No le ponga escucha   d) ○ Tráele hecha
     ○ No le pongas cuña   ○ Trae leña

Fonética, entonación y ortografía

125

7. Contraste [m] y [n]. Marque las palabras con 1 ó 2 según el orden en que las escuche:

a) ② amo   c) ○ lema   e) ○ dama
① año   ○ leña   ○ daña

b) ○ rima   d) ○ mimo   f) ○ cama
○ riña   ○ Miño   ○ caña

8. Contraste [n] y [n̬]. Escuche y escriba la letra que falta:

1	eñe	ene		
2	ma__o	ma__o		
3	pe__a	pe__a		
4	sue__o	sue__o		
5	orde__ar	orde__ar		

6	cu__a	cu__a
7	mo__o	mo__o
8	so__ar	so__ar
9	u__a	u__a
10	campa__a	campa__a

9. Escuche y repita cada trío de palabras:

a) eme   ene   eñe

b) cama   cana   caña

c) timo   tino   tiño

d) mama   mana   maña

e) tima   tina   tiña

10. Escuche y complete las palabras con la letra que falta (m, n, ñ):

1 panameño   5 e__pa__ar

2 __a__a__a   6 __o__ta__a

3 __i__a   7 e__se__ar

4 __orte__o   8 co__pa__ero

11. Marque la expresión que oiga:

a) ⊗ Minio   d) ◯ Aluminio

     ◯ Miño   ◯ A tu niño

b) ◯ El demonio   e) ◯ Macedonio

     ◯ El del moño   ◯ Me hace daño

c) ◯ Este milenio   f) ◯ Hazle una cara a Antonia

     ◯ Este es mi leño   ◯ Hazle una carantoña

 12. Escuche y complete las palabras con –ño o –nio:

1 armo**nio**	*6* inge_ _ _	*11* mile_ _ _
2 ca_ _ _	*7* ge_ _ _	*12* reba_ _ _
3 Anto_ _ _	*8* sue_ _ _	*13* testimo_ _ _
4 norte_ _ _	*9* gera_ _ _	*14* armi_ _ _
5 ju_ _ _	*10* orde_ _ _	*15* tita_ _ _

 13. DICTADO. Escuche y escriba el siguiente texto:

En junio

TRABALENGUAS

Lea estos trabalenguas y trate de repetirlos deprisa:

1. Ñoño Yáñez come ñame en las mañanas con el niño.

2. Por las mañanas se oye el plañido plañidero plañiendo.
El que escuche el plañido plañidero plañiendo hará un gran plañimiento.

3. Mariana Magaña
desenmarañará mañana
la maraña que enmarañara
Mariana Mañara.

Capítulo 17

El sonido [t] representado por la letra T. Y el sonido [d] representado por la letra D

Cuadro A

[t]

La punta de la lengua se pone en los dientes superiores tapando la salida del aire. Éste sale a continuación en una pequeña explosión y sin hacer vibrar las cuerdas vocales.

[d]

La punta de la lengua se pone en los dientes superiores tapando la salida del aire. Éste sale a continuación en una pequeña explosión y haciendo vibrar las cuerdas vocales.

• La letra **t** (te) se pronuncia **[t]**:

    tarde   *patio*   *letra*   *ritmo*   *robot*

• La letra **d** (de) se pronuncia **[d]**:

    dedo   *conde*   *madre*   *comedlo*   *libertad*

 1. Sonido [t]. Escuche y repita:

1	tú	*6*	cuatro
2	tango	*7*	trabajar
3	carta	*8*	meter
4	tela	*9*	ritmo
5	atlas	*10*	étnico

2. Sonido [d]. Escuche y repita:

1	día	*5*	dedal	*9*	deducir
2	dividir	*6*	domingo	*10*	candil
3	despedida	*7*	falda	*11*	cuadro
4	piedra	*8*	adquirir	*12*	comedlo

3. Marque las palabras con 1 ó 2 según el orden en que las escuche:

a) ① coto
② codo

e) ○ condado
○ contado

i) ○ teme
○ deme

b) ○ saltar
○ saldar

f) ○ nata
○ nada

j) ○ té
○ dé

c) ○ manta
○ manda

g) ○ grato
○ grado

k) ○ tía
○ día

d) ○ tenso
○ denso

h) ○ toro
○ doro

l) ○ tos
○ dos

4. Escuche y complete las palabras con la letra que falta *(t, d)*:

1	*votado*	*3*	a__a__o	*5*	__is__in__o	*7*	con__en__a
2	__el__a	*4*	__apa__era	*6*	__es__ino	*8*	__elan__e

5. Escuche y marque la frase que oiga:

a) ⊗ Metió todo
○ Me dio todo

d) ○ Tú das demasiado
○ Dudas demasiado

b) ○ Para atar al perro
○ Para dar al perro

e) ○ No está aquí
○ Nos da aquí

c) ○ No metas miedo
○ No me das miedo

f) ○ Esto está demasiado suelto
○ Esto es dar demasiado sueldo

Fonética, entonación y ortografía

129

6. Escuche y escriba las letras que faltan (t, d, tr, dr):

1	*dr*ama	*tr*ama	*d*ama
2	ce___ __o	ce___ __o	ce___ __o
3	__ __aga	__ __aga	__ __aga
4	me___ __o	me___ __o	me___ __o

7. Escuche y complete las letras que faltan en este trabalenguas:

TRABALENGUAS

Treinta   y   ___es   ___amos   ___e   ___oncos   ___ozaron
___es   ___is___es   ___oza___ores   ___e   ___oncos   y
___iplicaron   su   ___abajo,   ___iplican___o   su   ___abajo
___e   ___ozar   ___oncos   y   ___oncos.

TRABALENGUAS   TRABALENGUAS

8. Contraste [θ] y [d]. Subraye lo que oiga:

1 Está atado por este **lazo / lado**.

2 Es un buen **mozo /modo**.

3 La **ceja / deja** partida.

4 No me gusta esta **moza / moda**.

5 Yo no **venzo / vendo** nunca.

9. Contraste [g] y [d]. Escuche y marque la frase que oiga:

a) ⊗ Se quitó la toga   ◯ Se la quitó toda

b) ◯ Aquí sigan la luz   ◯ Aquí sí dan la luz

c) ◯ Que este es un vago   ◯ Que esté tumbado

d) ◯ Me presentó amigos   ◯ Me presentó a mí dos

10. Contraste [r] y [d]. Escuche y marque la palabra que oiga:

a) ⊗ cara   *c)* ○ ira   *e)* ○ poro   *g)* ○ hora   *i)* ○ parecer
     ○ cada   ○ ida   ○ podo   ○ oda   ○ padecer

b) ○ duro   *d)* ○ miro   *f)* ○ cero   *h)* ○ loro   *j)* ○ toro
     ○ dudo   ○ mido   ○ cedo   ○ lodo   ○ todo

11. Contraste [k] y [t]. Escuche y escriba la palabra que falta en cada frase:

1   Llévalo en este pequeño .....*carro*......   (carro / tarro)

2   Está muy cansado, ... demasiado.   (cose / tose)

3   .... todo lo que puedo.   (como / tomo)

4   Estos son los papeles que ....   (quemo / temo)

5   Yo prefiero el ....   (quinto / tinto)

Cuadro B

La –t final de palabra
● Las únicas palabras acabadas en **–t** proceden de otras lenguas:
     robot   *debut*

La –d final de palabra
● En la lengua culta estándar se pronuncia una **–d** relajada al final de palabra:
     *juventu**d***   *verda**d***

● Pero en el lenguaje coloquial esta letra tiene diferentes pronunciaciones
según las zonas geográficas:
– Se omite la **–d**:   *verdá*   *salú*   *usté*
– Se pronuncia [θ]: *verdaz*   *saluz*   *ustez*
– Se pronuncia **[t]**: *verdat*   *salut*   *ustet*

La –d final de los imperativos
● Muchos hablantes pronuncian la **–d** final de los imperativos de segunda persona del plural como **[r]**. Este error debe evitarse:

     cantad y no *cantar*

*Nota: En la forma reflexiva del imperativo de segunda persona del plural se suprime la **–d** de la terminación (bebed + os = bebe**os**)*

12. Escuche y repita:

1	robot	*3*	entrecot	*5*	déficit	*7*	chalet
2	complot	*4*	argot	*6*	test	*8*	ballet

13. Escuche y repita con una *−d* final relajada:

1	verdad	*3*	usted	*5*	juventud	*7*	Madrid
2	sociedad	*4*	red	*6*	pared	*8*	venid

14. Marque con una cruz la palabra que oiga:

a)	PARED	◯ pare^d	◯ paré	⊗ parez	◯ paret
b)	VIRTUD	◯ virtu^d	◯ virtú	◯ virtuz	◯ virtut
c)	LIBERTAD	◯ liberta^d	◯ libertá	◯ libertaz	◯ libertat
d)	AMISTAD	◯ amista^d	◯ amistá	◯ amistaz	◯ amistat
e)	CIUDAD	◯ ciuda^d	◯ ciudá	◯ ciudaz	◯ ciudat

15. Escuche y marque la frase que oiga:

a) ◯ Cantar una canción
   ⊗ Cantad una canción

b) ◯ Venir a vernos
   ◯ Venid a vernos

c) ◯ Salir adelante
   ◯ Salid adelante

d) ◯ Oír lo que os digo
   ◯ Oíd lo que os digo

e) ◯ Tomar el tren
   ◯ Tomad el tren

f) ◯ Sacar al perro
   ◯ Sacad al perro

16. Escuche y complete las palabras con la letra que falta *(d, z)*:

1	*longitud*	*5*	emperatri__
2	incapa__	*6*	andalu__
3	sucieda__	*7*	timide__
4	sanida__	*8*	huéspe__

La –d– entre vocales

● La letra **–d–** entre vocales que aparece en la última sílaba de algunas palabras se elimina a veces en el lenguaje conversacional.

Esto ocurre sobre todo en los participios, adjetivos y sustantivos terminados en **–ado**:

cant**ado** [canta**o**]   tej**ado** [tex**ao**]

Aunque en estos casos no se considera un rasgo vulgar, sí lo es en otras palabras:

n**ada**: [n**áa**]   t**odo** [t**óo**]   baj**ada** [b**axáa**]

● En el lenguaje formal, la **–d–** intervocálica debe pronunciarse como una **d** relajada:

solda**d**o

---

 17. Escuche y repita con una –d– relajada:

1	estado	*4*	recado	*7*	complicado
2	abogado	*5*	llegada	*8*	sentado
3	comida	*6*	mercado	*9*	cuidado

 18. Marque con una cruz si oye *ado* (lenguaje formal) o *ao* (lenguaje conversacional):

		ado	ao
1	dejado	☒	☐
2	estudiado	☐	☐
3	pensado	☐	☐
4	cansado	☐	☐
5	salado	☐	☐
6	contado	☐	☐
7	callado	☐	☐
8	tumbado	☐	☐

Fonética, entonación y ortografía

19. Escuche y complete los siguientes textos:

NOVIA.- Tome, madre: un periódico mejicano que me he ...*encontrao*.... esta mañana en el taller. Se lo he .... a .... porque trae crimen.

     MADRE.- ¿Que trae crimen?

     NOVIA.- Entero y con .... los detalles.

     MADRE.- ¡Qué alegría me das! Porque como desde hace una porción de tiempo los periódicos nuestros no traen críme-nes, se me va a olvidar el leer. ¿Dónde está el crimen? Esto debe de ser... "Tranviario muerto por un senador."

     NOVIA.- Esto no es, madre. Eso son ecos de .... El crimen está más abajo.

        Enrique Jardiel Poncela. *Eloísa está debajo de un almendro*

Cuadro D

Enlaces de palabras

● Las palabras terminadas en **–d** se enlazan con las palabras siguientes que empiezan por vocal. Se pronuncia como una **d** relajada. Aunque, como se dijo en el Cuadro B, esta letra tiene diferentes pronunciaciones según las zonas geográficas:

   se**d** *amigos*: se-**ᵈa**-mi-gos   se-**za**-mi-gos   se-**ta**-mi-gos
   mira**d** *allí*: mi-ra-**ᵈa**-llí   mi-ra-**za**-llí   mi-ra-**ta**-llí

● La **–d** final de palabra en contacto con una **d–** inicial se relaja o se reduce a una sola **d** un poco más larga:

   *la mita**d d**e eso:*   la–mi-ta**ᵈ**–de-e-so   la-mi-ta-**de**-e-so

---

20. Escuche y repita:

1 sed amigos

2 escuchad esto

3 actitud desafiante

4 el quid de la cuestión

5 verdad o mentira

6 salud y dinero

7 juventud dorada

8 David Díaz

21. Subraye las sinalefas y los sonidos que se enlazan:

1 es propieda**d de** m**i hi**jo

2 capacidad de actuar

3 es de una calidad especial

4 red de autopistas

5 leed un libro

6 hay una posibilidad entre ocho

7 la felicidad infinita

8 la totalidad de los presentes

9 de Madrid al cielo

10 id deprisa

22. Escuche y separe las palabras que aparecen unidas:

1 ¿ustedhacealgoespecial?: ....*¿usted hace algo especial?*...................

2 tomadycomedesto: ....

3 dejadenpazalabuelo: ....

4 saliddeahíenseguida: ....

5 pensadunpocoantes: ....

6 subidaltejado: ....

23. Marque las frases con 1 ó 2 según el orden en que las escuche:

a) ① La verdad es que hieren
    ② Las verdades que hieren

b) ○ Salid de emergencia
    ○ Salida de emergencia

c) ○ Dad ocho
    ○ Dado el hecho

d) ○ Salud de hierro
    ○ Salude a Hierro

e) ○ Tened esto
    ○ Ten de esto

f) ○ Para usted es no
    ○ Para ustedes no

Fonética, entonación y ortografía

DIÁLOGO 17: Solo en casa

Escuche y marque:
– Las sinalefas.
– Los enlaces de las palabras terminadas en –d con las vocales siguientes.

A. ¡Coged el teléfono!

La verdad es que tengo que hacerlo yo todo. ¿Dígame?

B. *¿Están David o Teresa?*

A. Un momento, por favor. ¡David, es para ti! ¡Teresa!

¡Abrid esa puerta, que yo estoy al teléfono! ¡David!

Id a abrir, hombre. ¿Usted ha visto? En este piso vive una multitud

de gente y parece que estoy solo. No cuelgue, por favor.

¡Ah! David y Teresa. Creí que estabais en casa. Pasad y coged el

teléfono.

C. ¿Quién es?

A. ¡Yo qué sé!

D. Han *colgao*. ¿No te ha dicho quién era?

A. No, no me lo ha dicho.

C. Te noto un poco *alterao*, ¿no?

A. Será que no soporto la soledad del hogar. ¡Anda ya!

Escuche otra vez y repita las frases de A.

Capítulo 18
El sonido [p] representado por la letra P

Cuadro A

- La letra **p** (pe) se pronuncia **[p]**:

  pico   ca**p**a   **p**ronto

  plato   ó**p**timo

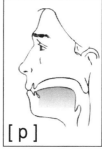

[p]

Los labios se unen totalmente y luego dejan salir el aire en una pequeña explosión. Las cuerdas vocales no vibran.

---

1. Escuche y repita:

1	por	6	Perú
2	puso	7	compra
3	pronto	8	sapo
4	deporte	9	culpa
5	pliegue	10	ejemplo

2. Lea este anuncio publicitario y luego repítalo:

Pedro Pérez, peluquero,

prefiere peines Pirámide,

porque peines Pirámide peinan perfectamente.

¡Prefiera peines Pirámide!

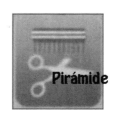

Pirámide

3. Contraste [b] y [p]. Marque la palabra que oiga:

a) ⊗ bala   d) ○ van   g) ○ beso
      ○ pala   ○ pan   ○ peso

b) ○ convulsa   e) ○ cava   h) ○ vio
      ○ compulsa   ○ capa   ○ pió

c) ○ villa   f) ○ beca   i) ○ cubo
      ○ pilla   ○ peca   ○ cupo

4. Contraste [m] y [p]. Escuche y escriba la letra que falta (m, p):

a) poda   moda   d) __uerto   __uerto

b) tra__o   tra__o   e) pu__a   pu__a

c) co__a   co__a   f) que__a   que__a

5. Contraste [t] y [p]. Escuche y escriba las palabras en el orden en que las escuche:

trapo,   trato,   pinta,   tinta,   poco,   toco,   pino,   tino,   mapa,   mata

1 ....*tinta*..........................   6 ....

2 ....   7 ....

3 ....   8 ....

4 ....   9 ....

5 ....   10 ....

6. Contraste [k] y [p]. Marque las palabras con 1 ó 2 según el orden en que las escuche:

a) ① cuño   d) ○ caño   g) ○ quiso
      ② puño   ○ paño   ○ piso

b) ○ como   e) ○ poca   h) ○ quinta
      ○ pomo   ○ popa   ○ pinta

c) ○ quitar   f) ○ lapa   i) ○ inculcar
      ○ pitar   ○ laca   ○ inculpar

7. Escuche y marque la frase que oiga:

a) ◯ Llévelo a la vista
    ⊗ Llévelo a la pista

b) ◯ Vimos el muerto
    ◯ Vimos el puerto

c) ◯ Ha sido becado
    ◯ Ha sido pecado

d) ◯ Es de corte tradicional
    ◯ Es deporte tradicional

e) ◯ ¡Qué miel más suave!
    ◯ ¡Qué piel más suave!

f) ◯ Seca esto
    ◯ Sepa esto

8. Escuche y complete las palabras con las letras que faltan (*pr, pl*):

1 a**pl**azar

2 tem__ __ado

3 des__ __ecio

4 ca__ __icho

5 sim__ __e

6 __ __uma

7 __ __udencia

8 __ __adera

9. Escuche y complete las frases con la palabra que falta:

a) Hemos estado en ....*Braga*.......... . (**Praga / Braga**)

b) Este metal es .... (**plomo /bromo**)

c) Es una .... muy ligera. (**pluma / bruma**)

d) No me gusta nada este .... (**plan / pan**)

10. Marque la frase que oiga:

a) ◯ Antes de abrir la presa
    ⊗ Antes de abrir la pesa

b) ◯ Poblaron la zona
    ◯ Probaron en la zona

c) ◯ Busca el botón y pulsa
    ◯ Busca el botón de la blusa

d) ◯ Ya no hay prisa
    ◯ Ya no hay brisa

e) ◯ Primero sopa
    ◯ Primero sopla

f) ◯ ¡Qué pena de comida!
    ◯ En plena comida

Cuadro B

Confusión de p y b a final de sílaba

● La **p** y la **b** a final de sílaba tienden a pronunciarse igual. (Ver Capítulo 11)

El grupo –pt–

● En el habla correcta debe pronunciarse siempre la **p**:

óp*timo*   ap*titud*

● En algunas palabras se admite la omisión de la **p**:

sep*tiembre* o *setiembre*   sép*timo* o *sétimo*

Pero, en estos casos, la Real Academia recomienda que se conserve el grupo.

 11. Escuche y complete las palabras con la letra que falta *(p, b)*:

1 a*b*dicar

2 cá__sula

3 rece__ción

4 di__tongo

5 o__tener

6 ecli__se

7 o__stinado

8 rece__ción

 12. Escuche las frases y escriba la palabra que falta:

a) En ....*septiembre*.... se acaba el verano. (**septiembre / setiembre**)

b) Vivo en el .... piso. (**séptimo / sétimo**)

c) Esta revista ha alcanzado un récord de ....(**subscriptores / subscritores**)

d) Llegó a la meta en .... lugar. (**séptimo / sétimo**)

e) El curso dura desde .... (**septiembre / setiembre**) a junio.

TRABALENGUAS

Lea estos trabalenguas y trate de repetirlos deprisa:

1. Poquito a poquito Paquito empaca poquitas copitas en pocos paquetes.

2. Pepe Pecas pica papas con un pico,
   con un pico Pepe Pecas pica papas.

3. Compadre de la capa parda, no compre usted más capa parda,
   que el que mucha capa parda compra, mucha capa parda paga.
   Yo que mucha capa parda compré, mucha capa parda pagué.

4. Un podador podaba la parra y otro podador que por allí pasaba le preguntó:
   – Podador que podas la parra, ¿qué parra podas? ¿Podas mi parra o tu
   parra podas?
   – Ni podo tu parra, ni mi parra podo, que podo la parra de mi tío Bartolo.

Notas ortográficas sobre la P

Regla	Ejemplos
En el grupo inicial *ps–* no se pronuncia la *p*. Y esas palabras también pueden escribirse sin la *p*.	*psíquico / síquico* *psicólogo / sicólogo* *psicología / sicología* *psicoanálisis / sicoanálisis* *psicosis / sicosis* *psiquiatra / siquiatra*

APÉNDICE

Fonética, entonación y ortografía

Capítulo 19

El sonido [f] representado por la letra F

Cuadro **A**

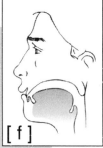

[f]

Los dientes superiores tocan el labio inferior y el aire sale con dificultad. Las cuerdas vocales no vibran.

• La letra **f** (efe) se pronuncia **[f]**:

fácil   *difícil*   *ofrecer*   *flaco*   *anfibio*

1. Escuche y repita:

1 fe	*4* ¡paf!	*7* África	*10* fofo
2 filósofo	*5* fui	*8* enfermo	*11* alfalfa
3 flor	*6* falsificar	*9* afán	*12* esférico

2. Contraste [p] y [f]. Marque la palabra que oiga:

a) ⊗ pavor
   ◯ favor

b) ◯ copia
   ◯ cofia

c) ◯ presa
   ◯ fresa

d) ◯ compuso
   ◯ confuso

e) ◯ pino
   ◯ fino

f) ◯ puente
   ◯ fuente

g) ◯ pila
   ◯ fila

h) ◯ espera
   ◯ esfera

i) ◯ pía
   ◯ fía

j) ◯ plato
   ◯ flato

k) ◯ paz
   ◯ faz

l) ◯ paro
   ◯ faro

3. Contraste [s] y [f]. Escuche y repita cada par de palabras:

a)	siesta	fiesta		*e)*	risa	rifa
b)	suerte	fuerte		*f)*	insecto	infecto
c)	gasas	gafas		*g)*	casé	café
d)	pus	¡puf!		*h)*	salda	falda

4. Escuche y complete las palabras con la letra que falta *(c, z, f)*:

1	*aceite*	*3*	ca__é	*5*	__e	*7*	ri__a
2	a__eite	*4*	ca__é	*6*	ri__a	*8*	mo__a

5. Escuche y escriba qué palabra falta en cada frase:

1 No quiero saber nada de este ....*clan.*.........

    a) flan   b) plan   c) clan

2 Espero que no .... esto.

    a) fea   b) sea   c) lea

3 Hicieron un .... bastante profundo.

    a) foso   b) pozo   c) poso

4 Aquí está prohibido el ....

    a) fuego   b) juego   c) ruego

5 Sinceramente, no creo que ....

    a) fuera   b) pueda   c) rueda

6. Marque la frase que oiga:

a) ⊗ Es como estar en invierno
    ◯ Es como estar en el infierno

b) ◯ No tiene sed
    ◯ No tiene fe

c) ◯ En el sexto
    ◯ En efecto

d) ◯ El abuelo es lento
    ◯ A fuego lento

e) ◯ Ése es todo su pan
    ◯ Ése es todo su afán

f) ◯ Se divertía con el juego
    ◯ Se divertía con el fuego

g) ◯ Se lo rizaron
    ◯ Se lo rifaron

h) ◯ No es mi piel
    ◯ No es muy fiel

Fonética, entonación y ortografía

7. Contraste [b] y [f]. Marque las palabras con 1 ó 2 según el orden en que las escuche:

a) ① vino   c) ○ veo   e) ○ ve
    ② fino   ○ feo   ○ fe

b) ○ boca   d) ○ voto   f) ○ bruta
    ○ foca   ○ foto   ○ fruta

8. Escuche y escriba las letras que faltan (f, fr, fl):

a) frío   fío   e) __ __actura   __ __actura

b) __ __aca   __ __aca   f) in__ __ame   in__ __ame

c) __ __ase   __ __ase   g) __ __echa   __ __echa

d) __ __ama   __ __ama   h) __ __ía   __ __ía

DIÁLOGO 19: ¡Cómo son ellas!

Escuche y marque:
– Las sinalefas.
– Los enlaces de las palabras terminadas en consonante con las vocales siguientes.

A. Me han dicho que hay una fiesta.

B. En casa de Fermín, ¿no?

A. ¿Qué Fermín?

B. Ese chico tan fino que se sienta en la primera fila en clase.

A. No caigo.

B. Sí, hombre, el feo de las gafas.

A. ¡Ah, sí! Hija, no es tan feo. Es un poco fofo, pero nada más.

B. Pues a mí no me gusta. Yo estoy fascinada con Félix, es un tío fantástico.

A. ¿Tan fenomenal como Fabián?

B. Bueno, quizá no tanto. La verdad es que Fabián es el mejor.

A. Y nos olvidamos de Fernando.

B. Pero al final, la fiesta ¿dónde es?

A. En casa de Fátima.

B. ¿Y quiénes van?

A. Sólo chicas.

B. ¿Y para eso tanto rollo?

Escuche otra vez y repita las frases de A.

Capítulo 20

El sonido [s] representado por la letra S

Cuadro A

- Las letra **s** (ese) se pronuncia [**s**] en cualquier posición:

solo	*oso*	*esta*
gafas	*obstáculo*	*cansado*

- La **s** final de sílaba ante una **r** no se pronuncia en el habla coloquial:

  Israel [irrael]

El seseo

- En algunas zonas de la Península Ibérica, Islas Canarias y toda Hispanoamérica, el sonido [θ], se escriba con **c** o con **z**, se pronuncia como el sonido [**s**]. Este fenómeno se conoce con el nombre de **seseo**. (Ver Capítulo 6)

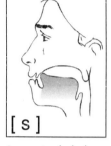

[s]

La punta de la lengua se pone entre los dientes superiores y el principio del paladar sin que llegue a haber contacto. El aire sale con dificultad y las cuerdas vocales no vibran.

 1. Escuche y repita:

1	seis	*5*	sabrosas	*9*	sucesos	*13*	sesiones
2	sillas	*6*	espacios	*10*	estas	*14*	escalas
3	israelita	*7*	cansado	*11*	bolsa	*15*	obstáculo
4	instalar	*8*	transporte	*12*	absoluto	*16*	abstracto

 2. Contraste [f] y [s]. Escuche y repita cada par de palabras:

a)	efe	ese	*d)*	fe	sé
b)	fin	sin	*e)*	feria	seria
c)	favor	sabor	*f)*	fuerte	suerte

3. Contraste [θ] y [s]. Marque las palabras con 1 ó 2 según el orden en que las escuche:

a) ① azar   e) ○ caza   i) ○ cegar
    ② asar   ○ casa   ○ segar

b) ○ cerrar   f) ○ ciega   j) ○ cocer
    ○ serrar   ○ siega   ○ coser

c) ○ cocido   g) ○ cenador   k) ○ censor
    ○ cosido   ○ senador   ○ sensor

d) ○ cepa   h) ○ hace   l) ○ vez
    ○ sepa   ○ ase   ○ ves

4. Escuche y complete las palabras con la letra que falta (s, c, z):

1   sustancias   3   __u__io__   5   __u__e__ión   7   __upo__i__ión

2   acu__a__ión   4   __u__crip__ión   6   __ei__ __iento__   8   o__ __ila__ión

5. Marque la expresión que oiga:

a) ○ Una cigala   d) ○ Los céntimos
    ⊗ A una sígala   ○ Lo sentimos

b) ○ Ahora centra por aquí   e) ○ ¿Es cera buena?
    ○ Ahora se entra por aquí   ○ ¿Será buena?

c) ○ Es de cereza   f) ○ Haz los cimientos
    ○ Es de Teresa   ○ Hazlo si miento

6. Contraste [x] y [s]. Escuche y escriba la letra que falta (g, j, s):

a) coger   coser   e) ca__a   ca__a

b) ma__a   ma__a   f) va__o   ba__o

c) o__o   o__o   g) a__o   a__o

d) ce__a   ce__a   h) que__o   que__o

Fonética, entonación y ortografía

7. Contraste [ĉ] y [s]. Escuche y marque la frase que oiga:

a) ⊗ Ponte un chal | d) ◯ Está un poco chalado
    ◯ Ponte sal | ◯ Está un poco salado
b) ◯ ¡Qué chollo! | e) ◯ Lo chupo todo
    ◯ ¡Que soy yo! | ◯ Lo supo todo
c) ◯ ¡Qué chivato! | f) ◯ Agarra el hacha
    ◯ ¡Qué silbato! | ◯ Agarra el asa

Cuadro B

Enlaces de palabras

● Las palabras terminadas en **–s** se enlazan con las palabras siguientes que empiezan por vocal:

> se**is a**ños: sei–**sa**–ños
>
> ¿ha**s o**ído?: ¿ha–**so**–í–do?

El contacto de la **–s final** de una palabra con la **s– inicial** de la siguiente se pronuncia como una [**s**] más larga:

> tené**is s**ed: te–néi–**ss**ed
>
> e**s s**impático: e–**ss**im–pático

La **–s final** de una palabra ante la **r– inicial** de la siguiente no se pronuncia en el lenguaje rápido y conversacional:

> do**s r**eales: do–**rr**e–a–les
>
> e**s r**aro: e–**rr**a–ro

 8. Escuche y repita:

1	tres hermanos	*4*	más allá	*7*	sois argentinos
2	somos españoles	*5*	más o menos	*8*	¿sabes algo?
3	dos sacos	*6*	es sangre	*9*	estás raro

9. Lea estos refranes y subraye las sinalefas y los sonidos que se enlazan:

1   Uno<u>s s</u>aben lo que sabe<u>n y</u> otro<u>s s</u>aben lo qu<u>e h</u>acen.

2   Entre dos amigos, un notario y un testigo.

3   A palabras necias oídos sordos.

4   Acércate a los buenos y serás uno de ellos.

5   Unos nacen con estrella y otros estrellados.

6   El más roto y descosido le pone faltas al bien vestido.

10. Escuche estas frases hechas y separe las palabras que aparecen unidas:

1   esassonpalabrasmayores: .... *esas son palabras mayores* ....

2   manosalaobra: ....

3   abuenashoras: ....

4   debuenasaprimeras: ....

5   mássordoqueunatapia: ....

6   tenerlasespaldasanchas: ....

11. Marque 1 ó 2 según el orden de la grabación:

a)   ① Es así
      ② Esa sí

b)   ○ Has sido
      ○ Has ido

c)   ○ Dos salas
      ○ Dos alas

d)   ○ Los secos
      ○ Los ecos

e)   ○ Has serrado
      ○ Has errado

f)   ○ Ha sobrado
      ○ Has obrado

g)   ○ Es ahí
      ○ Esa i

h)   ○ Es eso
      ○ Es seso

i)   ○ La sumas
      ○ Las sumas

j)   ○ No se sella
      ○ No sé ella

k)   ○ No has servido
      ○ No has hervido

l)   ○ Es útil
      ○ Es sutil

Fonética, entonación y ortografía

12. Marque la frase que oiga:

a) ○ No has servido la sopa

⊗ No has hervido la sopa

b) ○ Abrió las dos alas

○ Abrió las dos salas

c) ○ Creo que tú no has ido

○ Creo que tú no has sido

d) ○ Esta tela es útil

○ Esta tela es sutil

e) ○ Esa sí me la llevo

○ Es así y me la llevo

f) ○ La saltas y pasas

○ Las altas sí pasan

DIÁLOGO 20: ¿Salimos hoy?

 Escuche y marque:
- **Las sinalefas.**
- **Los enlaces de las palabras terminadas en –s con las vocales siguientes o con las s- iniciales.**

A. Cariño, ¿salimos esta noche?

B. ¿Y dónde podemos ir?

A. ¿Vamos al teatro?

B. ¿Pero has sacado las entradas?

A. No.

B. Entonces es un poco difícil que encontremos entradas.

A. Pues es igual. Vamos a otro sitio. ¿Has ido a las salas de cine nuevas?

B. ¿De cuáles hablas?

A. De esas enormes abiertas en el parque de atracciones.

B. ¡Ah! Esas sí las he visto ya. Pero están algo lejos y además son incómodas.

A. ¿Pero tú quieres salir o no?

B. Quizás otro día, ¿vale? Estoy un poco cansada.

A. Tú éstas siempre cansada. ¡Qué mujer más animada tengo!

Escuche otra vez y repita las frases de A.

Capítulo 21
La letra X

Cuadro A

- A principio de palabra, la letra **x** (equis) siempre se pronuncia **[s]** salvo en casos excepcionales de conversación lenta y cuidada:

  xenofobia [senofobia]

- En el resto de los casos, la letra **x** se pronuncia **[ks]** en la conversación lenta y cuidada. Pero en el lenguaje rápido y conversacional:

  – Se pronuncia **[gs]** cuando está entre vocales o a final de palabra:

  examen [egsamen]   *tórax [tórags]*

  – Se pronuncia **[s]** delante de consonante:

  externo [esterno]   *explanada [esplanada]*

- La letra **x** se pronuncia como **[x]** en algunas palabras como arcaísmo gráfico. Pero la nueva *Ortografía* académica permite escribirlas también con **j**:

  México o Méjico   *Oaxaca o Oajaca*   *Texas o Tejas*

1. Sonido [gs]. Escuche y repita:

1	taxi	*4*	axila	*7*	examen
2	léxico	*5*	exhortar	*8*	claxon
3	exhibir	*6*	tórax	*9*	fax

2. Sonido [s]. Escuche y repita:

1	externo	*4*	sexto	*7*	expresar
2	pretexto	*5*	extranjero	*8*	xenofobia
3	xerografía	*6*	xilófono	*9*	xilografía

Fonética, entonación y ortografía

3. Escuche y complete las palabras con la letra que falta *(x, s)*:

1 extravagante
2 é__ito
3 e__traordinario
4 e__pectador

5 e__acto
6 e__celente
7 e__tructura
8 e__cenario

4. Las palabras siguientes llevan *S* y *X*. Escuche y complételas:

1 exquisito
2 e__po__ición
3 e__ce__o
4 e__cur__ión

5 e__i__tencia
6 __inta__i__
7 e__pul__ar
8 a__fi__iar

5. Escuche y complete las frases con las palabras que faltan:

1 Ayer visité una ....*exposición*..... de pintura ....*espléndida.*......

2 Desde el piso .... se ve toda la ....

3 Te voy a .... el .... tan .... que hicimos.

4 Yo no creo en .... venidos de otras ....

5 No .... si digo que me ha salido un ....

6. Escuche y marque la frase que oiga:

a) ○ Es extenso
    ⊗ Ese es tenso

b) ○ No exalto
    ○ No es alto

c) ○ Es excéntrico
    ○ Ese es céntrico

d) ○ No exculpa a nadie
    ○ No es culpa de nadie

e) ○ Esto exponen
    ○ Estos ponen

f) ○ Expuesta en público
    ○ Es puesta en público

g) ○ No excita
    ○ No es cita

h) ○ Ya hay conexión
    ○ Ya hay cohesión

Palabras parónimas

● Las palabras parónimas son las que tienen semejanza de forma o de pronunciación, pero con significado diferente.

Estos son algunos ejemplos de palabras parónimas con **x** y con **s**.

contexto: situación o entorno
contesto: forma del verbo "contestar"

sexo: género en una especie; órganos sexuales
seso: tejido del cráneo

exclusa: participio femenino del verbo "excluir"
esclusa: recinto construido en un canal de navegación

expiar: pagar un delito o culpa; sufrir una condena
espiar: observar con disimulo

expirar: morir; terminar
espirar: despedir el aire al respirar

extirpe: forma del verbo "extirpar" = arrancar
estirpe: conjunto de ascendientes y descendientes

 7. Marque las frases con 1 ó 2 según el orden en que las escuche:

a) ② No leo y contesto

① No veo el contexto

b) ○ No hay esclusa

○ No hay excusa

c) ○ No lo extirpes

○ No lo destripes

d) ○ No es sexo

○ No es eso

e) ○ Ahora espira

○ Ahora respira

f) ○ Lo hace para expiar sus culpas

○ Lo hace para desviar sus culpas

Fonética, entonación y ortografía

DIÁLOGO 21: Examen final

Escuche y marque las sinalefas y los enlaces entre palabras:

A. Te noto un poco nerviosa.

B. Es que el próximo lunes tengo un examen de español para extranjeros.

A. ¿Y hace mucho que estudias español?

B. Este es mi sexto año.

A. ¡Vaya! Entonces eso está controlado.

B. La verdad es que mi punto débil es la expresión oral.

A. ¿Por qué?

B. Porque me falta léxico.

A. ¿Y tu pronunciación?

B. Es buena. He estudiado con un método de pronunciación excelente.

A. Me alegro. ¿Y cómo es el examen?

B. Primero tengo que explicar el significado de un texto.

A. ¿Y después?

B. Luego tengo que hacer una exposición oral sobre un tema.

A. Seguro que tienes éxito.

B. Eso espero. Deséame suerte.

Escuche otra vez y repita las frases del interlocutor B. Pronuncie correctamente las palabras que llevan la letra x.

Capítulo 22
La división silábica

Cuadro A

● La **sílaba** es el sonido o grupo de sonidos que se pronuncian en un solo golpe de voz. En español hay por lo menos una vocal en cada sílaba y ella sola puede constituir sílaba.

sol: *sol (1 sílaba)*
alto: *al – to (2 sílabas)*
animal: *a – ni – mal (3 sílabas)*

tratamiento: *tra – ta – mien – to (4 sílabas)*
sencillamente: *sen – ci – lla – men – te*
                    (5 sílabas)

---

1. Escuche las palabras pronunciadas por sílabas y repita:

1 sílaba		2 sílabas		3 sílabas	
1	dos	*5*	me – sa	*9*	ca – tor – ce
2	sí	*6*	lis – ta	*10*	a – plau – dir
3	fui	*7*	lá – piz	*11*	in – mu – ne
4	sal	*8*	tra – er	*12*	ap – ti – tud

2. Escuche y repita. Después escriba las palabras sin guiones:

4 sílabas

1 fe – rro – ca – rril: ....*ferrocarril*...............

2 ab – so – lu – to: ....

3 ba – lon – ces – to: ....

4 cons – trui – re – mos: ....

5 con – si – de – ra – do: ....

6 a – gra – de – ci – da: ....

5 sílabas

7 es – tor – nu – da – ba: ....

8 rá – pi – da – men – te: ....

Fonética, entonación y ortografía

155

• Recuerde que dos o más vocales seguidas a veces se pronuncian en una sola sílaba y a veces se separan en dos o en tres. (Ver Capítulos 3 a 5)

aéreo: *a – é – re – o*   **fuimos:** *fui – mos*
agua: *a – gua*   **labio:** *la – bio*
tenía: *te – ní – a*   **estudiáis:** *es – tu – diáis*
veía: *ve – í – a*   **teníais:** *te – ní – ais*

3. Escuche las palabras pronunciadas por sílabas y repita:

1 bai – le   *4* rui – do   *7* fe – o

2 po – e – ta   *5* a – liáis   *8* sa – lí – ais

3 Eu – ro – pa   *6* ma – íz   *9* o – ís – te

4. Separe las palabras por sílabas y clasifíquelas en el recuadro:

1 peine: ...*pei – ne*.........   *7* buey: ....

2 Uruguay: ....   *8* cuídate: ....

3 mía: ....   *9* flúor: ....

4 caótico: ....   *10* coméis: ....

5 averiguáis: ....   *11* oasis: ....

6 paséense: ....   *12* veníais: ....

Dos vocales fuertes seguidas	Diptongo	Triptongo	Ruptura del diptongo	Ruptura del triptongo
	pei – ne			

Cuadro C

● Para dividir una palabra en sílabas hay que tener en cuenta que una consonante entre dos vocales se agrupa con la segunda vocal:

ala: *a – la*　　　**pera:** *pe – ra*　　　**casa:** *ca – sa*

● Las consonantes dobles en la escritura (ch, ll, rr) corresponden a un solo sonido, por lo que se consideran una sola consonante:

calle: *ca – lle*　　　**coche:** *co – che*　　　**carro:** *ca – rro*

● Recuerde que en **gue**, **gui** y **que**, **qui** la **u** no se pronuncia, por lo que las tres letras forman siempre una sílaba:

águila: *á – gui – la*　　　**aquella:** *a – que – lla*

 5. Escuche las palabras pronunciadas por sílabas y repita:

1　o – ro

2　pe – lo – ta

3　ca – la – mar

4　ca – rre – te – ra

5　ca – ma

6　a – gu – je – ro

7　ca – cha – lo – te

8　Za – ra – go – za

 6. Escuche y separe las sílabas de cada palabra:

1　monedero: *mo – ne – de – ro*

2　civilizado: ....

3　aguijón: ....

4　sábado: ....

5　mexicano: ....

6　carrera: ....

7　pásalo: ....

8　azulado: ....

9　recibimos: ....

Fonética, entonación y ortografía

157

Cuadro D

● Cuando dos consonantes van entre vocales, la primera consonante se une a la vocal anterior, y la segunda, a la siguiente.

alto: *al – to*   **observe:** *ob – ser – ve*   **intenso:** *in – ten – so*

● Pero los grupos **bl**, **br**, **cl**, **cr**, **dr**, **fl**, **fr**, **gl**, **gr**, **pl**, **pr**, **tr** se unen a la vocal siguiente.

abrazo: *a – bra – zo*   **pueblo:** *pue – blo*   **refresco:** *re – fres – co*

● En el caso del grupo **tl** la Real Academia admite la separación de las dos maneras.

atleta: *at – le – ta o a – tle – ta*

 7. Escuche las palabras pronunciadas por sílabas y repita:

1	mon – ta – ña	*4*	se – cre – ta – rí – a
2	re – dac – ción	*5*	At – lán – ti – co
3	po – drí – a – mos	*6*	sub – ma – ri – no

 8. Escuche y separe las sílabas de cada palabra:

1 cárcel: ....*cár – cel*........

2 sobre: ....

3 ablandar: ....

4 inmenso: ....

5 reacción: ....

6 Enrique: ....

7 lámpara: ....

8 gimnasia: ....

9 aplazado: ....

● Cuando tres consonantes van entre vocales, las dos primeras se unen a la vocal anterior, y la tercera, a la que sigue:

transmitir: *trans – mi – tir*   **abstener:** *abs – te – ner*

● Pero si las dos últimas consonantes son los grupos **bl**, **br**, **cl**, **cr**, **dr**, **fl**, **fr**, **gl**, **gr**, **pl**, **pr**, **tr** se unen a la vocal siguiente:

amplitud: *am – pli – tud*   **desprecio:** *des – pre – cio*

 9. Escuche las palabras pronunciadas por sílabas y repita:

1   ins – pi – rar

2   obs – ta – cu – li – zar

3   en – gran – de – cer

4   cons – pi – rar

5   des – truir

6   trans – por – te

10. Lea las palabras y compruebe si están bien separadas por sílabas. Si no es así, corríjalas:

1   i – lu – stra – ción: .... *i – lus – tra – ción* ....

2   en – fre – ntar: ....

3   ob – stá – cu – lo: ....

4   ins – ta – la – ci – ón: ....

5   com – pli – ca – do: ....

6   abs – te – mio: ....

7   ins – tin – to: ....

8   com – pro – bar: ....

Fonética, entonación y ortografía

11. Escuche las palabras pronunciadas por sílabas y repita:

1   trans – gre – sión

2   cons – trui – mos

3   abs – trac – to

4   ads – cri – bir

5   obs – truir

6   ins – cri – to

12. Separe las palabras en sílabas y clasifíquelas en el cuadro:

1 entresuelo	4 constipada	7 guardarropa
2 enredado	5 subterráneo	8 abstraer
3 claustro	6 extremo	9 obstruye

2 consonantes entre vocales	3 consonantes entre vocales	4 consonantes entre vocales
	en – tre – sue – lo	

160

Palabras con hache intercalada

● La **h** a veces va entre vocales que forman sílaba:

prohibir: prohi – bir

● Si la **h** va entre vocales que no forman sílaba se separa con la segunda:

búho: bú – ho

● Si la **h** va detrás de una consonante, se separa de ella:

inhalar: in – ha – lar

 13. Escuche las palabras pronunciadas por sílabas y repita:

1 in – hu – ma – no	4 ahu – mar	7 al – ha – ja
2 za – na – ho – ria	5 pro – hí – bo	8 ve – he – men – te
3 prohi – bi – do	6 rehu – sar	9 su – per – hom – bre

 14. Escuche y separe las sílabas de cada palabra:

1 azahar: .a – za – har   5 ahijado: ....

2 rehízo: ....   6 deshabitada: ....

3 ahogada: ....   7 ahorrar: ....

4 ahora: ....   8 ahí: ....

15. Deshoje las margaritas y forme cuatro palabras:

1 _desheredado_   2 ....   3 ....   4 ....

Capítulo 23

El acento de intensidad y la entonación de las palabras

● El **acento de intensidad** (o acento tónico) es la mayor fuerza con que se pronuncia una sílaba dentro de una palabra aislada.

● La sílaba sobre la que recae el acento de intensidad se llama **sílaba tónica** y las demás se llaman **sílabas átonas**.

● En español la posición del acento de intensidad varía dentro de la palabra, lo que permite diferenciar significados:

hábito   ha**bi**to   habi**tó**

1. Escuche y repita marcando la sílaba tónica:

1	i**de**a	*4*	**a**gua	*7*	sa**lud**
2	**sa**bio	*5*	mar**fil**	*8*	do**lor**
3	A**mé**rica	*6*	**mú**sica	*9*	au**tó**nomo

2. Escuche y repita marcando el cambio de acento en las palabras:

a)	**can**to	can**tó**
b)	**pe**so	pe**só**
c)	**rí**o	ri**ó**
d)	**ca**lle	ca**llé**
e)	**mi**ro	mi**ró**

3. Complete las frases con la palabra que oiga:

1 .....*Quedó*.......... contigo esa tarde.   2 .... contigo esa tarde.

3 .... la historia desde el principio.   4 .... la historia desde el principio.

5 .... toda la noche.   6 .... toda la noche.

7 .... tu buena suerte.   8 .... tu buena suerte.

 4. Escuche y repita las palabras insistiendo sobre la sílaba tónica:

a) **cál**culo	cal**cu**lo	calcu**ló**
b) **cán**tara	can**ta**ra	canta**rá**
c) **crí**tico	cri**ti**co	criti**có**
d) **diá**logo	dia**lo**go	dialo**gó**
e) diag**nós**tico	diagnos**ti**co	diagnosti**có**
f) ej**ér**cito	ejer**ci**to	ejerci**tó**
g) e**quí**voco	equi**vo**co	equivo**có**
h) **pú**blico	pu**bli**co	publi**có**

 5. Escuche y señale con 1, 2 ó 3 según el orden en que se pronuncia cada palabra:

a) ① género	② genero	③ generó
b) ○ hábito	○ habito	○ habitó
c) ○ límite	○ limite	○ limité
d) ○ líquido	○ liquido	○ liquidó
e) ○ próspero	○ prospero	○ prosperó
f) ○ título	○ titulo	○ tituló

Fonética, entonación y ortografía

Cuadro B

● Normalmente todas las palabras tienen una sílaba tónica, si es monosílaba su única sílaba es tónica. Aunque también hay monosílabos inacentuados (Ver Cuadro F).

calor   **me**sa   **ár**boles   **luz**   **mil**

● Pero hay palabras que tienen dos sílabas tónicas:

– En las **palabras compuestas** es frecuente la pronunciación de dos sílabas tónicas:

bienve**ni**do   en**ho**ra**bue**na   a**si**mis**mo**

– Los adverbios acabados en –mente tienen una sílaba tónica en el primer elemento y otra en la terminación –mente:

fuerte**men**te   ad**mi**ra**ble**men**te**

– Hay palabras en las que el hablante puede hacer tónicas otras sílabas para dar mayor expresividad:

impresio**nan**te

● Por último, hay tres palabras en español que cambian su sílaba tónica cuando están en plural:

régimen – re**gí**menes   ca**rác**ter – carac**te**res   es**pé**cimen – espe**cí**menes

---

6. Escuche y repita las palabras insistiendo sobre las dos sílabas tónicas:

1	a**si**mis**mo**	*4*	**tio**vi**vo**	*7*	**hier**ba**bue**na
2	**sa**ca**cor**chos	*5*	en**ho**ra**bue**na	*8*	His**pa**noa**mé**rica
3	**ra**diote**lé**grafo	*6*	**bien**ve**ni**da	*9*	**de**cimo**quin**to

7. Forme el adverbio añadiendo la terminación –mente y subraye las dos sílabas tónicas:

1	estupenda: *estupendamente*	*6*	triste: ....
2	fácil:	*7*	rápida: ....
3	inútil:	*8*	cortés: ....
4	débil:	*9*	alegre: ....
5	tímida:	*10*	difícil: ....

8. Escuche las frases y subraye las dos sílabas tónicas que se pronuncian en las palabras señaladas:

1 Este avión es **indestruc<u>ti</u>ble.**

2 Se ha comprado un coche descapotable.

3 Trajo a la fiesta una persona impresentable.

4 Anoche tomamos un vino excelente.

Reglas para saber cuál es la sílaba tónica

● Primero hay que dividir la palabra en sílabas.

– **Regla 1.** En las palabras que llevan acento escrito (o **tilde**), éste indica cuál es la sílaba tónica:

árbol **mú**sica aten**ción**

– **Regla 2.** Cuando la palabra no lleva tilde, la sílaba tónica es:

a) La penúltima si la palabra termina en **vocal**, **n** o **s**:

dulce **vi**ven mu**je**res

b) La última si la palabra acaba en **consonante**, excepto **n** o **s**:

pa**pel** pa**red** se**ñor**

9. Escuche y subraye la sílaba tónica:

1 jar**dín**	*5* flores	*9* camiseta	*13* música
2 leemos	*6* bajabais	*10* caer	*14* europea
3 innecesario	*7* tráigamelo	*11* inscribir	*15* origen
4 ambulancia	*8* papel	*12* arréglamelo	*16* salón

Fonética, entonación y ortografía

10. Lea el texto y subraye las sílabas tónicas de las palabras señaladas:

Otra vez se ha empañado el cristal de nuestro catalejo; nada se ve. Limpiémoslo. Ya está. Enfoquémoslo de nuevo hacia la ciudad y el campo. Allá en los confines del horizonte, aquellas lomas que destacan sobre el cielo diáfano, han sido como cortadas con un cuchillo.

Azorín, *Castilla*

Cuadro D

Clases de palabras según el lugar de la sílaba tónica

● Las palabras se clasifican según el lugar que ocupa la sílaba tónica:

– **Palabras agudas:** la sílaba tónica es la última:

    can**tar**   cate**dral**   ba**lón**

– **Palabras llanas:** la sílaba tónica es la penúltima:

    casa   ca**be**llo   i**nú**til

– **Palabras esdrújulas:** la sílaba tónica es la antepenúltima:

    música   heli**cóp**tero   **pá**jaro

– **Palabra sobresdrújula:** la sílaba tónica es la anterior a la antepenúltima:

    ex**plí**camelo   **có**metelo   **llé**vemela

 11. Escuche y repita:

Acento en la última sílaba	Acento en la penúltima sílaba	Acento en la antepenúltima sílaba	Acento en la anterior a la antepenúltima sílaba
1 papel	*5* imbécil	*9* práctico	*13* dígamelo
2 sofá	*6* magia	*10* régimen	*14* tráesela
3 escuchar	*7* árbol	*11* guapísima	*15* súbetela
4 interés	*8* literario	*12* callábamos	*16* sujétamelo

12. Escuche y subraye la sílaba tónica:

    1   cui<u>da</u>do

    2   domingo

    3   joven

    4   devuélvemelo

    5   músculo

    6   esperad

    7   atmósfera

    8   América

    9   búscamelo

   10   español

   11   dile

   12   invéntatelo

   13   váyase

   14   cuidaos

   15   fuego

13. Clasifique las palabras del ejercicio anterior en el siguiente cuadro:

Agudas	Llanas	Esdrújulas	Sobreesdrújulas
....	*cuidado*	....	....
....	....	....	....
....	....	....	....
....	....	....	....
....	....	....	....
....	....	....	....
....	....	....	....

Fonética, entonación y ortografía

Cuadro E

Tono e intensidad de la palabra

● En la pronunciación de la palabra aislada, coinciden el tono con el acento de intensidad. El tono normal es el de la sílaba tónica y las demás sílabas se pronuncian por debajo de ese tono, descendente o ascendente según los casos.

– **Tono ascendente:** tienen tono ascendente las palabras que llevan el acento de intensidad en la última sílaba:

señor ⇧   jar**dín** ⇧   ca**fé** ⇧

– **Tono descendente:** las palabras que llevan el acento de intensidad en la primera sílaba:

mesa ⇩   **cés**ped ⇩   **pi**so ⇩

El descenso es menos rápido si la palabra tiene más de dos sílabas:

título ↘   **má**gico ↘   **rá**pido ↘

– Tono **ascendente–descendente:** las palabras que llevan el acento de intensidad en una sílaba interior:

ca**ri**ño ↗   vo**lu**men ↗   sim**pá**tico ↗

---

14. Escuche y repita estas palabras con un tono ascendente:

1 detrás	*3* textil	*5* alcohol
2 salud	*4* melocotón	*6* coméis

15. Escuche y repita estas palabras con un tono descendente:

1 fútbol	*3* césped	*5* quítaselo
2 libro	*4* éramos	*6* rápido

16. Escuche y repita estas palabras con un tono ascendente–descendente:

1 submarino	*3* cantabais	*5* filósofo
2 geranio	*4* murciélago	*6* comieron

17. Lea estas palabras y clasifíquelas según su tono:

1 ladrón	*5* autobús	*9* semáforo	*13* Ángel
2 escalera	*6* pájaros	*10* católico	*14* acércala
3 Ecuador	*7* gratuito	*11* siempre	*15* pierna
4 dígaselo	*8* carnaval	*12* disfraz	*16* justicia

Tono ↑ ascendente	Tono ↓ descendente	Tono ⇗ ascendente–descendente
ladrón	_____	_____
_____	_____	_____
_____	_____	_____
_____	_____	_____
_____	_____	
_____	_____	

Cuadro F

Palabras inacentuadas

● Hay palabras que se pronuncian sin acento tónico cuando acompañan a otras:

- **Artículos determinados:**   *el* <u>co</u>che   *la* <u>ca</u>sa
- **Adjetivos posesivos:**   *mi* <u>li</u>bro   **nuestro** profe<u>sor</u>
- **Numerales:** sólo los que van delante de **mil:**   cien <u>mil</u>, **quinientas** <u>mil</u>
- **Pronombres personales de complemento:**   *te* <u>vio</u>   **nos** vi<u>si</u>tó
- **Pronombres relativos:**   ve con **quien** <u>quie</u>ras   la mujer **que** <u>vi</u>mos
- **Preposiciones:**   *de* <u>via</u>je   **con** a<u>mi</u>gos   **durante** la co<u>mi</u>da
- **Conjunciones:**   **porqu**e <u>quie</u>ro   alojamiento **y** desa<u>yu</u>no

● Hay otras palabras que, en la cadena hablada, pierden su acento tónico cuando acompañan a otras:

- **Nombres de tratamiento:**   *don* <u>Luis</u>   **señor** <u>Pé</u>rez **tía** Ma<u>rí</u>a
- **Nombres propios compuestos:**   **Juan** Jo<u>sé</u>   **María** <u>Ro</u>sa   **Ciudad** Re<u>al</u>
- **Expresiones apelativas:**   **buen** <u>hom</u>bre   ¡**Dios** <u>mío</u>!
- **Los adverbios tan, medio** y **casi:**
     medio dor<u>mi</u>da   ¡es **tan** <u>gua</u>pa!   **casi** <u>na</u>da

18. Escuche y repita:

1	el coche	*6*	vuestra parte	*11*	hasta luego
2	los árboles	*7*	me quiere	*12*	con alegría
3	las bicicletas	*8*	¿me acompañas?	*13*	como gustes
4	su opinión	*9*	se la comió	*14*	donde sea
5	nuestro hombre	*10*	para Pedro	*15*	los que tengas

 19. Escuche y separe las palabras subrayando la sílaba tónica:

1 mimaleta
  mi ma<u>le</u>ta
....

2 paralaniña
....

3 paraquienentienda
....

4 laalfombra
....

5 loquemedijo
....

6 osloperderán
....

7 connuestroamor
....

8 sinproblemas
....

9 encuantosevaya
....

 20. Escuche y repita sin acentuar las palabras átonas:

1	don **Luis**	*5*	veintidós **mil**
2	Juan **Pe**dro	*6*	Santa Eu**la**lia
3	casi **to**das	*7*	señor Gon**zá**lez
4	medio **muer**to	*8*	¡buena mu**jer**!

 21. Escuche el texto y subraye todas las palabras inacentuadas:

Recuerdo <u>**un**</u> viaje a Buenos Aires que terminó en Nueva York, otro a Lima que concluyó en Atenas y uno a Roma que finalizó en Berlín. Todos los aviones que tomo van a donde no deben, pero ya estoy acostumbrado porque con frecuencia salgo de casa hacia la oficina y me paso la mañana metido en sucesivos taxis que van y vienen sin que yo pueda aventurar una dirección exacta.

L.M. DÍEZ, *Los males menores*

Capítulo 24
El acento ortográfico o la tilde

Reglas generales de acentuación

● El acento ortográfico (**o tilde**) es un signo gráfico que ponemos sobre algunas palabras para indicar cuál es la sílaba tónica.

● Para colocar correctamente la tilde hay que seguir unas reglas de acentuación:

1. Las **palabras agudas** llevan tilde cuando terminan en **vocal**, **–n**, o **–s**:

> so**fá**   ja**bón**   Pa**rís**
>
> – *Excepción:* si la –s va detrás de otra consonante: ba**llets**

2. Las **palabras llanas** llevan tilde cuando terminan en **consonante** que no sea **–n** o **–s**:

> **ár**bol   **Víc**tor   **cés**ped
>
> – *Excepción:* si la palabra termina en –s precedida de otra consonante: **bí**ceps

3. Las **palabras esdrújulas y sobresdrújulas** llevan tilde siempre:

> te**lé**fono   **tó**nico   **gá**natela

1. Escuche los nombres y apellidos siguientes, subraye la sílaba tónica y ponga la tilde si es necesario:

1 **Ló**pez	*3* Jesus	*5* Ursula	*7* Nieves
2 Felix	*4* Alfredo	*6* Pedro	*8* Ezquerra

2. Complete las series siguientes. Ponga la tilde si es necesario:

1 Francia: ....*francés*........   *4* Aragón: ....

2 Inglaterra: ....   *5* Japón: ....

3 Portugal: ....   *6* Barcelona: ....

3. Escuche la conjugación de los verbos siguientes y escriba la tilde cuando corresponda:

	infinitivo	presente	pret. indefinido	futuro
1	cantar	canto	canté	cantaré
2	jugar	juego	jugue	jugare
3	tener	tengo	tuve	tendre
4	vivir	vivo	vivi	vivire
5	perder	pierdo	perdi	perdere
6	salir	salgo	sali	saldre

4. Escuche y escriba las siguientes formas verbales:

1 cantaron: ....*cantó*............

2 estudiaremos: ....

3 bajarán: ....

4 vinieron: ....

5 vendréis: ....

6 dormimos (ayer): ....

7 salimos (ayer): ....

8 sacaremos: ....

9 caerán: ....

10 pusisteis: ....

11 miraron: ....

12 saludaron: ....

5. Escuche, subraye la sílaba tónica y escriba la tilde si es necesario:

1 at<u>mós</u>fera

2 cuentaselo

3 sintoma

4 burocrata

5 actor

6 ayer

7 almacen

8 paralisis

9 autobus

10 heroe

11 oceano

12 escalera

Observaciones a las reglas generales de acentuación

● En función de las reglas de acentuación, algunas palabras toman la tilde o la pierden al pasar del singular al plural:

can**ción**: can**cio**nes   **mar**gen: **már**genes

● Recuerde que hay palabras que cambian su sílaba tónica cuando están en plural (ver Capítulo 23):

ca**rác**ter: carac**te**res   **ré**gimen: re**gí**menes

● En las letras mayúsculas se pone la tilde si les corresponde según las reglas de acentuación:

Ávila   **Á**ngela   OX**Í**GENO

● Las palabras y expresiones latinas usadas en español siguen las reglas generales de acentuación:

et**cé**tera   refe**rén**dum

 6. Escuche las palabras siguientes, subraye la sílaba tónica y escriba la tilde si es necesario:

a) **jo**ven   **jó**venes   *d)* arbol   arboles

b) especimen   especimenes   *e)* caracter   caracteres

c) rebelion   rebeliones   *f)* regimen   regimenes

 7. Escuche y ponga en plural las palabras siguientes:

1 útil: ....*útiles*........................   *6* servicial: ....

2 cantón: ....   *7* papel: ....

3 líder: ....   *8* volumen: ....

4 azúcar: ....   *9* germen: ....

5 pared: ....   *10* régimen: ....

Fonética, entonación y ortografía

8. Escuche y ponga en singular las palabras siguientes:

1 huracanes: .....*huracán*.....   *5* sartenes: ....

2 caimanes: ....   *6* felices: ....

3 crímenes: ....   *7* balones: ....

4 estaciones: ....   *8* relojes: ....

9. Escuche los titulares de periódicos y ponga las tildes que faltan:

a)   ULTIMATUM DEL GOBIERNO A LAS EMPRESAS PETROLIFERAS.

b)   MARATON DEL ESPECTACULO: DANZA, MUSICA Y TEATRO DURANTE 24 HORAS.

Cuadro C

Acentuación de diptongos y triptongos

● Las palabras con diptongos se acentúan gráficamente siguiendo las reglas generales de acentuación.

a) En los formados por vocal abierta + cerrada (y viceversa), la tilde se coloca en la vocal abierta:

  ad*iós*   n*áu*tico

b) En los formados por dos vocales cerradas, la tilde se pone en la segunda.

  c*uí*date

● Los triptongos se acentúan gráficamente siguiendo las reglas generales. Y llevan siempre la tilde sobre la vocal abierta:

  estud*iáis*   desprec*iéis*

● Recuerde que el diptongo y el triptongo se rompen en dos sílabas distintas cuando el acento tónico cae en la vocal débil (i, u) y se pone tilde sobre esta vocal débil:

  María: Ma–rí–a   **salíais:** sa–lí–ais

10. Escuche, subraye los diptongos y ponga tilde cuando sea necesario:

1 d*eu*da   *4* Gutierrez   *7* viejo

2 soñais   *5* miercoles   *8* racion

3 despues   *6* murcielago   *9* teneis

11. Escuche, subraye las sílabas con diptongos y ponga tilde cuando sea necesario:

1	in<u>clui</u>do	3	viuda	5	diurno	7	Luisa	9	cuidate
2	incluis	4	ruido	6	fuimos	8	lingüistica	10	conclui

 12. Escuche, subraye las sílabas con triptongos y ponga la tilde cuando sea necesario:

1	averi<u>güéis</u>	3	cambieis	5	esquiais
2	acentuais	4	espieis	6	vacieis

 13. Escuche y ponga tilde cuando sea necesario:

1	país	3	frio	5	reimos	7	geografia	9	leido
2	oiste	4	bahia	6	sandia	8	transeunte	10	dia

14. Complete el cuadro:

	HABER	TENER	SALIR
Pretérito imperfecto de indicativo	había		
		tenías	
		salían	
Condicional simple			
	habría		
		tendríamos	

Fonética, entonación y ortografía

Acentuación de los monosílabos

- Como regla general, los monosílabos no llevan tilde:

    fe   *pie*   *bien*   *dio*   *vi*   *sol*

- Algunas palabras monosílabas llevan tilde para distinguirse de otras que se escriben igual pero que tienen diferente significado o función gramatical:

dé: del verbo "dar"	**de:** preposición
él: pronombre	**el:** artículo
más: adverbio	**mas:** = "pero"
mí: pronombre	**mi:** adjetivo posesivo
ó: conjunción entre números	**o:** conjunción entre palabras
sé: de los verbos "saber" y "ser"	**se:** pronombre
sí: adverbio y pronombre	**si:** conjunción
té: sustantivo = bebida	**te:** pronombre
tú: pronombre	**tu:** adjetivo posesivo

15. Ponga la tilde en los monosílabos que la necesiten:

1 Si quieres que se ponga contenta dile que **sí**.

2 Esta tarde **te** invitaré a tomar el **te**.

3 **Mi** padre no sabe nada de **mi** boda.

4 Yo no **se** cómo **se** llama.

5 **Tu** tienes que sentarte en **tu** silla.

6 Me han dicho que Ana y **el** se conocieron en **el** cine.

16. Escuche y complete los espacios en blanco con el monosílabo que falta:

1 No me interesa ....*el*........ negocio.

2 ¿Encontraste .... maleta?

3 Dile que nos .... el dinero que nos debe.

4 Ya no .... escribiré .... cartas.

5 .... amable con .... prima Lola.

6 ¿Quieres otra taza de ....?

7 .... coche lo tiene ....

8 ¿Este regalo es para ....?

Tilde para diferenciar palabras

● Los demostrativos **este**, **ese** y **aquel** (con sus femeninos y plurales):

　　a) No llevan tilde cuando acompañan a un nombre:

　　　　este coche　　　　　**esa** muñeca

　　b) Pueden llevar tilde cuando funcionan como pronombres:

　　　　éste me gusta　　　　**ésa** es mejor

● Los demostrativos **esto**, **eso** y **aquello** nunca llevan tilde.

● La palabra **solo** no lleva tilde cuando funciona como adjetivo y significa "sin compañía". Y puede llevar tilde cuando se usa como adverbio y significa "solamente":

　　Me gusta estar **solo**.　　　**Sólo** me gusta beber agua.

● La palabra **aun** no lleva tilde cuando significa "incluso" o "también". Y lleva tilde cuando significa "todavía":

　　Aun así, no hizo el viaje.　　**Aún** es joven para salir solo.

● Los interrogativos y exclamativos llevan tilde siempre:

qué, **quién** (**quiénes**), **cuál** (**cuáles**), **cuánto** (**cuánta**, **cuántos**, **cuántas**), **cuándo**, **dónde**, **cómo**:

Frase exclamativa:	¡**Qué** bonito!	¡**Cuánto** dinero!
Frase interrogativa directa:	¿**Dónde** vas?	¿**Quién** viene?
Frase interrogativa indirecta:	Me preguntó **qué** estaba haciendo.	

17. Lea y ponga las tildes donde sea posible:

1　¿No fue *aquél* el que te lo dio?

2　**Esta** no estaba **esta** tarde aquí.

3　**Eso** no se hace, **eso** no se dice.

4　Me he comprado **esta** camisa y **estos** pantalones, por **eso** ahora estoy sin dinero.

5　**Esta** parece más grande, pero **aquella** es mejor.

Fonética, entonación y ortografía

18. Lea las frases y escriba las palabras *solo, sólo, aun* o *aún* en los espacios en blanco:

1 En el examen respondí ...*sólo*... a seis preguntas.

2 .... me quedan cien euros y .... tengo que pagar el recibo del teléfono.

3 .... ganando por cinco a cero el equipo no se clasificaría.

4 Sale a dar su paseo diario .... en los días lluviosos.

5 No me gusta ir .... al cine.

6 .... no ha aterrizado el avión de Barcelona.

7 .... escucho la radio cuando voy .... en el coche.

19. Lea las frases y diga si las palabras en negrita son interrogativos, exclamativos o ninguno de los dos:

1 ¿**Cómo** has podido hacer esto? ....*interrogativo* ....

2 **Cuando** se fue todos nos quedamos muy tristes. ....

3 ¡**Cuánto** has tardado! ....

4 Me preguntó **qué** había comprado. ....

5 Se casó con la mujer con la **que** vivía. ....

6 ¡**Quién** te has creído que eres! ....

7 Sea cual sea su decisión, tendremos **que** respetarla. ....

8 Me explicó **dónde** vivía, pero no me acuerdo. ....

 20. Escuche y ponga la tilde donde corresponda:

1 ¡Qué solo estás!

2 Vino solo a verte.

3 Ese que tu me diste es el mejor.

4 ¿A que no sabes donde vive?

5 Eso no le conviene a esa.

6 No sabes cuanto cuesta hacerlo.

7 Cuanto tu quieras.

8 Nada mas llegar me pregunto con quien había estado.

Casos especiales de acentuación

● Las **palabras compuestas sin guión** siguen las reglas generales de la acentuación. La tilde, si ha de ponerse, se coloca siempre sobre el segundo componente, ya que el primero se hace átono:

tío + **vi**vo = tio**vi**vo   **dé**cimo + **sép**timo = decimo**sép**timo

● Las **palabras compuestas con guión** conservan la tilde de sus componentes si por sí solos la llevaban:

cien**tí**fico + **téc**nico = cien**tí**fico-**téc**nico   his**pa**no + ale**mán** = his**pa**no-ale**mán**

● Las palabras formadas por un **verbo y uno o varios pronombres pospuestos** llevan tilde o no de acuerdo con las normas generales de acentuación:

da + me + lo = **dá**melo   cayó + se = ca**yo**se (forma en desuso)

● Los adverbios terminados en –**mente** conservan la tilde si el adjetivo del que proceden la tenía. Recuerde que estos adverbios tienen dos sílabas tónicas (ver Capítulo 21):

fácil + **men**te = **fá**cil**men**te   **tí**mida + **men**te = **tí**mida**men**te

---

 21. Escuche, subraye la sílaba tónica y ponga la tilde donde corresponda:

1 pa**ra**guas	*3* sacacorchos	*5* puntapie	*7* veintidos
2 hazmerreir	*4* portalamparas	*6* ciempies	*8* cortauñas

 22. Escuche, subraye la sílaba tónica y ponga la tilde donde corresponda:

1 his**pa**no-fran**cés**		*5* anglo-aleman
2 artistico-musical		*6* fisico-quimico
3 teorico-practico		*7* chino-japones
4 afro-asiatico		*8* historico-critico

 23. Escuche, subraye las dos sílabas tónicas y ponga la tilde donde corresponda:

1 di**fí**cil**men**te	*3* rapidamente	*5* curiosamente	*7* inutilmente
2 ciertamente	*4* finalmente	*6* felizmente	*8* estupendamente

Fonética, entonación y ortografía

24. Escuche, subraye la sílaba tónica y ponga la tilde donde corresponda:

1	_da_me	3	dimelo	5	hazmelo	7	explicaselo
2	pideselo	4	entregadnoslo	6	sentandose	8	dirijase

25. Escuche y complete las palabras con los pronombres que faltan. Después ponga la tilde donde corresponda:

1	trae..._tráemelas_....	4	avisa.............	7	entrega...........	10	oyendo...........
2	llama................	5	quitar............	8	bebe...............	11	haz.................
3	viendo..............	6	compra..........	9	di...................	12	cree...............

26. Escuche y escriba el siguiente texto:

> Elena

Modificaciones ortográficas de los verbos derivados

Los verbos derivados de **tener**, **ver**, **venir**, **poner** toman tilde al añadir una o varias sílabas siguiendo las reglas generales de acentuación:

tener: ten   **venir: ven**
obtener: obtén   **prevenir: prevén**

27. Escuche las palabras siguientes, subraye la sílaba tónica y ponga la tilde donde corresponda:

1	pre_vés_	3	supon	5	previ	7	preven
2	conven	4	interven	6	pospon	8	entreves

28. Escriba la segunda persona del singular del imperativo de los verbos siguientes:

1	imponer: ....*impón*....	*4*	retener:	*7*	entretener: ....
2	contravenir:	*5*	disponer:	*8*	detener: ....
3	suponer:	*6*	reponer:	*9*	intervenir: ....

Palabras con tilde o sin tilde, juntas o separadas pero con distinto significado

Forma	Naturaleza	Ejemplo
a donde adonde adónde	Preposición + adverbio relativo Adverbio relativo Adverbio interrogativo o exclamativo	*Me voy **a donde** nadie va.* *El cine **adonde** voy es el mejor.* *¿**Adónde** vas tan deprisa?*
a sí mismo así mismo asimismo/ así mismo	Preposición + pronombre reflexivo + adjetivo Adverbio de modo + adjetivo Adverbio de afirmación (= "también, además")	*Se hizo daño **a sí mismo**.* *Ponlo **así mismo**.* *Con el pedido añadimos **asimismo** la factura.*
con que con qué conque	Preposición + pronombre relativo o conjunción Preposición + interrogativo o exclamativo Conjunción con valor consecutivo	*Basta **con que** avise un día antes.* *¿**Con qué** llave has abierto?* *Ya hablaste, **conque** ahora cállate.*
por qué porque porqué	Preposición + interrogativo o exclamativo Conjunción con valor causal Sustantivo (= "motivo")	*¿**Por qué** no viniste a verme ayer?* *Compró **porque** tenía dinero.* *No comprendo tus **porqués**.*
sin fin sinfín	Preposición + sustantivo Sustantivo (= "gran cantidad")	*Es un tema **sin fin**.* *Hay un **sinfín** de gente esperando.*
también tan bien	Adverbio de afirmación Adverbio de cantidad + adverbio de modo	*Ella **también** viene con nosotros.* *Lo has hecho **tan bien** como él.*

Capítulo 25

La entonación del grupo fónico

Cuadro A

Entonación y grupo fónico

● Se llama **entonación** a los cambios en el tono de la voz que hacemos al hablar. Cada sílaba tiene una altura musical o tono y el conjunto de los tonos de todas las sílabas de una frase forman la línea melódica o la **entonación.**

● La frase se divide en **grupos fónicos**, que son las porciones del discurso comprendidas entre dos pausas. El grupo fónico oscila entre 5 y 10 sílabas y puede estar compuesto de una o varias palabras:

> Cuando canta el gallo | el pueblo se despierta
> (frase con 2 grupos fónicos)

Las palabras que constituyen el grupo fónico permanecen íntimamente unidas y no permiten una pausa en su interior.

● Los grupos fónicos se suelen formar de la manera siguiente:

determinante + sustantivo	**sujeto + verbo**
el amor	el pueblo se despierta
(det.) + sustantivo +adjetivo	**verbo + complemento**
(la) mujer morena	viene a menudo
adverbio + adjetivo	**pronombre átono + resto de la frase**
muy guapa	la vi en el cine
preposición + su término	**conjunción + frase que introduce**
con mi hija	cuando canta el gallo

1. Escuche y repita:

1	Estas palabras	8	Desde una ventana
2	Mi hermana	9	Es una broma
3	Manos blancas	10	Nadie bebe agua
4	Sangre azul	11	Lávate la cara
5	Muy alegre	12	Le salió bien
6	Mal vestido	13	¿Os pasó algo?
7	Junto a la puerta	14	Para que lo sepas

2. Escuche y copie los grupos fónicos que oiga. Se le indica la estructura de cada uno:

1 *El pasado invierno* ....
(det. + adjetivo + sustantivo)

4 ....
(verbo + complemento)

2 ....
(pronombres átonos + frase)

5 ....
(conjunción + frase)

3 ....
(determinante + sustantivo)

6 ....
(sujeto + verbo)

3. Escuche y separe con una raya los dos grupos fónicos de cada frase:

1 *No te muevas | y no te haré daño.*

2 Déjalo, no me hagas caso.

3 Si estoy equivocado, demuéstremelo.

4 Sí, si ya nos íbamos.

5 Cuando llegó a casa se puso un batín.

6 Como nunca está no se entera.

7 Diga usted, doña Úrsula.

8 Bueno venga, saca una baraja.

Fonética, entonación y ortografía

Cuadro B

Entonación del grupo fónico

● La línea melódica de un grupo fónico tiene básicamente dos formas:

A   **B**

● La línea melódica se divide en tres fases:

1. Inicial: va desde el principio de la frase hasta la primera sílaba tónica.
2. Central: en la que se mantiene el tono uniforme.
3. Final: va desde la última sílaba tónica hasta el final.

   *El **lu**nes es **fies**ta.*   *¿El **lu**nes es **fies**ta?*

La fase final de la línea melódica es la más importante, porque es la que puede diferenciar el significado de una frase con otra.

Esta fase final se llama también **inflexión**, y puede ser **ascendente, descendente** u **horizontal**:

ascendente ↑   **descendente ↓**   **horizontal →**

¿Vive aquí?   *Vive aquí.*   *Si vive aquí...*

(frase cortada)

 4. Escuche y pronuncie la misma frase dos veces, una con línea melódica descendente y otra ascendente:

1 Ya ha venido   *4* Dice que se viene

   ¿Ya ha venido?   ¿Dice que se viene?

2 Usted se ríe de él   *5* Tú y yo solos

   ¿Usted se ríe de él?   ¿Tú y yo solos?

3 No está de acuerdo   *6* Quiere decirme lo que le debo

   ¿No está de acuerdo?   ¿Quiere decirme lo que le debo?

5. Escuche y marque si la línea melódica de estos grupos fónicos es ascendente o descendente:

		ascendente ↑	descendente ↓
1	Es que tú eres un niño	☐	☒
2	Cuando guste	☐	☐
3	Que no quiero	☐	☐
4	¿Es que no lo sabes?	☐	☐
5	¿Que no es malo?	☐	☐
6	Quien quiera que sea	☐	☐
7	¿Entendido?	☐	☐

6. Escuchará dos veces el mismo grupo fónico con diferente entonación (una ascendente y otra descendente). Marque 1 y 2 según el orden en que lo escuche:

a)	No viene	① ascendente	
		② descendente	
b)	Era ella	○ ascendente	
		○ descendente	
c)	Me tengo que ir	○ ascendente	
		○ descendente	
d)	Desconfías	○ ascendente	
		○ descendente	
e)	Dijo algo	○ ascendente	
		○ descendente	
f)	Lo está haciendo	○ ascendente	
		○ descendente	

Fonética, entonación y ortografía

7. Escuche y diga con qué entonación se pronuncian estos grupos fónicos. Marque con una cruz la línea melódica correcta:

grupo fónico	entonación	
	○ Ascendente	
1 No es aquél	⊗ Descendente	
	○ Horizontal	
	○ Ascendente	
2 Más vale...	○ Descendente	
	○ Horizontal	
	○ Ascendente	
3 A su edad	○ Descendente	
	○ Horizontal	
	○ Ascendente	
4 Pues entonces	○ Descendente	
	○ Horizontal	
	○ Ascendente	
5 Que no...	○ Descendente	
	○ Horizontal	

Cuadro C

● Recuerde que, en la pronunciación de la palabra aislada, coinciden el tono con el acento de intensidad. Pero dentro del grupo fónico la entonación de esa palabra puede cambiar.

Palabra con entonación descendente:
> *casa* ↓

Grupo fónico donde esta palabra tiene entonación ascendente:
> *¿en tu casa?* ↑

8. Escuche e indique el tono ascendente (↑) o descendente (↓) de las siguientes palabras. Luego diga si esas palabras mantienen el mismo tono dentro de las frases donde aparecen:

	palabra	frase
1	*papel* ↑	*¿Me dejas un papel?* ↑
2	pájaros	¿Te gustan los pájaros?
3	sofá	Necesito un sofá

Cuadro D

El ritmo de la línea melódica

●Dentro de la frase cada palabra mantiene su acento tónico en la misma sílaba, pero se subordina al acento principal del grupo fónico. Recuerde, además, que las palabras inacentuadas (ver Capítulo 23) también se unen obligatoriamente a la palabra siguiente con sílaba tónica.

●Este movimiento alternativo entre el acento principal y el secundario que se desplaza de palabra en palabra marca **el ritmo de la línea melódica**.

*para   mi   me**jor**   am**i**go:*   *pa-ra-mi-me-**jor**-a-**mi**-go*
                                           1 1 1   1 2 1 3 1
                                           Los números marcan el tono más
                                           alto o más bajo de cada sílaba

●Si en un grupo fónico sólo hay una palabra acentuada, ésta lleva el acento principal:

   Con su permiso: con-su-per-mi-so
                     1   1 1   2 1

●Si en el grupo fónico hay más de una palabra acentuada, el acento principal dependerá normalmente de la siguiente escala de categorías:

VERBO
NOMBRE
ADJETIVO
ADVERBIO
OTRAS PALABRAS

   Me gusta esa casa: me – gus – ta – e – sa – ca – sa
                        1   3   1   1   1   2   1

Si hay dos palabras de la misma categoría, la primera lleva el acento principal.

Fonética, entonación y ortografía

9. Escuche y repita los grupos fónicos marcando más el acento principal. Los números le ayudarán:

1 Lo que me promet**ió**

  1 1 1 1 1 2

2 Contra las **nor**mas

  1 1 1 2 1

3 Hasta la **vis**ta

  1 1 1 2 1

4 Me lo di**je**ron en el parque

  1 1 13 1 1 1 1 2 1

5 Golpe**ó** con las dos manos

  1 13 1 1 1 2 1

6 Para que **ve**as de cerca

  1 1 1 31 1 2 1

 10. Escuche y subraye el acento principal del grupo fónico:

1 Por el **bos**que

2 Con tal de que vengas

3 Después de comer

4 Por si lo vendes

5 Todo el año

6 Para que se olviden

7 Pero si lo sabes

8 Donde te veamos

9 A través del bosque de pinos

10 A lo largo del año próximo

11 Con tal de que vengas deprisa

12 Para que no nos olvidemos de ella

13 Después de comer la paella

14 Pero si no lo sabes

15 Antes de que lo vendas

16 Donde podamos verte

Capítulo 26
La entonación de la frase afirmativa

Cuadro A

● La **frase afirmativa** expresa objetivamente un hecho o un juicio. Su línea melódica (o entonación) dependerá de si la frase tiene un solo grupo fónico o más de uno.

● Frase afirmativa con un solo grupo fónico

a) Con acento en la primera sílaba: el tono empieza alto desde el principio, se mantiene hasta la última sílaba tónica y desciende al final:

Quiero irme.

b) Con acento en la segunda o siguientes sílabas: el tono empieza bajo hasta la primera sílaba tónica, se mantiene así a lo largo de la frase hasta la última sílaba tónica, en que desciende:

Me voy a mi pueblo.

1. Escuche y repita los siguientes grupos fónicos:

a. Grupo fónico de una palabra monosílaba acentuada.

Línea melódica:

1 Sí   *2* Mal   *3* Yo

b. Grupo fónico de una palabra polisílaba. Con acento en la primera sílaba.

Línea melódica:

1 Gracias   *2* Álvaro   *3* Pásamelo

c. Grupo fónico de una palabra polisílaba. Con acento en la segunda o siguientes sílabas.

Línea melódica:

1	Bonito	*2*	Perdón	*3*	Estupendo

d. Grupo fónico de varias palabras con acento en la primera sílaba.

Línea melódica:

1	Es mi hermano	*2*	Déjalo así	*3*	Buenas noches

e. Grupo fónico de varias palabras con acento en la segunda o siguientes sílabas.

Línea melódica:

1	Me gusta mucho	*2*	Cuando quieras	*3*	Hasta mañana

Cuadro **B**

Frase afirmativa con dos o más grupos fónicos

● Los primeros grupos fónicos terminan con una inflexión ascendente y el último con una inflexión descendente:

> *Comenzamos la clase* ⬆ I *cuando empezó a llover* ⬇

> *Cogió una piedra* ⬆ I *y la tiró al río* ⬆ I *desde lo alto del puente* ⬇

---

2. Escuche y repita los grupos fónicos siguientes marcando las diferentes inflexiones:

	INFLEXIÓN ASCENDENTE ⬆		INFLEXIÓN DESCENDENTE ⬇
1			Luis y Carlos
2		Luis y Carlos	querían darse prisa
3	Luis y Carlos	querían darse prisa	en terminar el trabajo
4	Luis y Carlos	querían darse prisa	para ir a cenar
5 Luis y Carlos	querían darse prisa	en terminar el trabajo	para ir a cenar

3. Escuche las frases afirmativas, separe los dos grupos fónicos y señale las inflexiones (ascendentes o descendentes):

1 *Las campanas de la iglesia* ↑ | *suenan continuamente.* ↓

2 Mientras paseaba miraba los edificios.

3 De haberlo sabido, habría ido enseguida.

4 Entré en el bar y saludé al camarero.

4. Escuche las frases afirmativas y realice las siguientes tareas:
- Separe los grupos fónicos.
- Señale los acentos principales y secundarios con números.
- Indique las inflexiones.

1 *Mi hermano pequeño estudió Filosofía en la Universidad de Barcelona.*

Mi hermano pequeño ↑ | estudió Filosofía ↑ | en la Universidad de Barcelona. ↓
1 1 3 1 1 2 1   11   3 1 1 1 21   1 1 11 1 1 3 1 1 1 2 1

2 Me lo dijeron ayer en casa de Dolores.

3 Viene a menudo vestida de negro y con un enorme bolso.

4 Desde la ventana la vi salir en un descapotable.

5. Reconstruya las frases siguientes empezando por el final y realizando las inflexiones correspondientes:

FRASE 1: Lo vi mientras conducía camino de casa		FRASE 3: Marta y Pablo van en autobús al colegio	
1	camino de casa	1	al colegio
2	mientras conducía camino de casa	2	van en autobús al colegio
3	Lo vi mientras conducía camino de casa	3	Marta y Pablo van en autobús al colegio
FRASE 2: Al llegar vimos a Pilar con sus amigos en la puerta		**FRASE 4: Pedro y Puri se quedan en casa todos los domingos para estudiar**	
1	en la puerta	1	para estudiar
2	con sus amigos en la puerta	2	todos los domingos para estudiar
3	vimos a Pilar con sus amigos en la puerta	3	se quedan en casa todos los domingos para estudiar
4	Al llegar vimos a Pilar con sus amigos en la puerta	4	Puri y Pedro se quedan en casa todos los domingos para estudiar

Fonética, entonación y ortografía

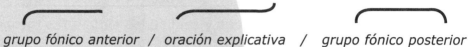

● Frase afirmativa con una oración complementaria

Si uno de los grupos fónicos es un complemento o una oración explicativa tiene una inflexión ascendente, mientras que el grupo fónico anterior termina en suspenso y el posterior es descendente:

El hombre viejo ➡ | *que estaba sentado solo* ⬆ | *se quedó mirándome* ⬇

grupo fónico anterior / oración explicativa / grupo fónico posterior

● Frase afirmativa con paréntesis

Si uno de los grupos fónicos va entre paréntesis o separado por guiones tiene una inflexión descendente, mientras que el grupo fónico anterior es de inflexión ascendente y el posterior, como siempre, descendente:

Si llegas tarde ⬆ | *(dijo el profesor)* ⬇ | *no te dejaré pasar* ⬇

grupo fónico anterior / oración entre paréntesis / grupo fónico posterior

 6. Escuche y repita las frases siguientes marcando las diferentes inflexiones:

TONO EN SUSPENSO ➡	INFLEXIÓN ASCENDENTE ⬆	INFLEXIÓN DESCENDENTE ⬇
1 Voy a ir	aunque no tengo tiempo	para que estés contento
2 Nuestro viejo coche	que funcionaba perfectamente	se estropeó justo ayer
3 Se quedó sola	perdida en el bosque	y se echó a llorar

 7. Escuche estas frases afirmativas, separe los grupos fónicos y señale las inflexiones. Después escuche de nuevo la grabación y repita:

1 Algunos alumnos, ➡ | *aunque estaban en silencio,* ⬆ | *pensaban lo mismo.* ⬇

2 La luna, saliendo de entre las nubes, comienza a iluminar la sala.

3 Cualquier otro niño, asustado por la oscuridad, hubiera salido corriendo.

4 En el tejado de mi casa, sobre la chimenea, hay un nido de cigüeñas.

8. Reconstruya las frases siguientes empezando por el final y realizando las inflexiones correspondientes:

FRASE 1: Los soldados, →que lucharon con valentía, ↑se salvaron ↓		FRASE 2: En el fondo, →si no se cuida, ↑ es peor para él ↓	
1	se salvaron ↓	1	es peor para él ↓
2	que lucharon con valentía, ↑se salvaron ↓	2	si no se cuida, ↑es peor para él ↓
3	Los soldados, →que lucharon con valentía, ↑se salvaron ↓	3	En el fondo, →si no se cuida, ↑ es peor para él ↓
FRASE 3: De todas formas, →aunque no lo creas, ↑todavía te quiero ↓		FRASE 4: A la izquierda, →en la lejanía, ↑ se acercaba una tormenta ↓	
1	todavía te quiero ↓	1	se acercaba una tormenta ↓
2	aunque no lo creas, ↑todavía te quiero ↓	2	en la lejanía, ↑se acercaba una tormenta ↓
3	De todas formas, →aunque no lo creas, ↑ todavía te quiero ↓	3	A la izquierda, →en la lejanía, ↑ se acercaba una tormenta ↓

9. Escuche y repita las frases siguientes marcando las diferentes inflexiones:

INFLEXIÓN ASCENDENTE ↑	INFLEXIÓN DESCENDENTE ↓	INFLEXIÓN DESCENDENTE ↓
1 Si llegas tarde	dijo el profesor	no te dejaré pasar
2 Si vienes conmigo	me advirtió mi padre	es para trabajar duro
3 Te pido por favor	exclamaba la mujer	que vayas más despacio

10. Escuche las frases afirmativas, separe los grupos fónicos y señale las inflexiones. Después escuche de nuevo la grabación y repita:

1 *Lo que tú sabes* ↑ | *-dijo la rubia-* ↓ | *no nos sirve de nada.* ↓

2 Cuando ocurrió el crimen (se defendió el acusado) yo estaba en el extranjero.

3 En mi opinión –se adelantó a decir el presidente– hay una falta de interés.

4 Querido público (se atrevió a decir el presentador) la función se ha suspendido.

5 Hace unos años –aseguraba la anciana– la vida era más fácil en este pueblo.

Fonética, entonación y ortografía

11. Lea las frases, separe los grupos fónicos, y señala las inflexiones:

1   *No comió arroz,* → | *aunque le gustaba,* ↑ | *por miedo a engordar.* ↓

2   El novio de la enferma, bajo la luz de una bombilla, esperaba en silencio.

3   Noemí estaba de pie, con las manos cruzadas, atenta al discurso.

4   Nosotros (decía don Pascual) ya hemos terminado nuestra obra.

5   Lo único que espero –se le cortaba la voz a José Luis– es que me entiendan.

6   María y Encarna, una frente a la otra, se contaban su aventura.

12. Clasifique las frases anteriores según tengan una oración complementaria explicativa (inflexión ascendente) o un paréntesis (inflexión descendente):

Oración complementaria explicativa	Paréntesis
No comió arroz, aunque le gustaba, por miedo a engordar.	

Cuadro D

La enumeración sin conjunción

● Cuando varios grupos fónicos forman una enumeración y no va unida por conjunción, todos los grupos fónicos terminan en pausa y con una inflexión descendente.

Los turistas descansan, ↓ | *toman el sol,* ↓ | *se bañan.* ↓

13. Escuche y repita las frases siguientes marcando las diferentes inflexiones:

INFLEXIÓN DESCENDENTE ↓	INFLEXIÓN DESCENDENTE ↓	INFLEXIÓN DESCENDENTE ↓
1 Los turistas descansan	toman el sol	se bañan
2 La habitación era bonita	luminosa	acogedora
3 Por fin encontró a sus padres	a sus amigos	a sus compañeros de trabajo

 14. Escuche las frases afirmativas y realice las siguientes tareas:
  – **Separe los grupos fónicos.**
  – **Señale los acentos principales y secundarios con números.**
  – **Indique las inflexiones.**

  1 Era enero, hacía frío, anochecía, teníamos hambre.

  Era enero, ↓ | hacía frío, ↓ | anochecía, ↓ | teníamos hambre ↓

    31 12 1   1 31 2 1   1 1 1   21   1 31 1   2   1

  2   Gané fama, dinero, sabiduría.

  3   Se veía un mar azul, tranquilo, infinito.

  4   Plantó unos árboles altos, de grandes troncos, con muchas hojas.

  5   Se acercó, la miró a los ojos, le tomó la mano, la besó despacio.

Cuadro **E**

La enumeración con conjunción

• Cuando varios grupos fónicos forman una enumeración y el penúltimo va seguido de una conjunción, este grupo fónico termina con inflexión ascendente y todos los demás con inflexión descendente:

El animal sacó la cabeza, ↓ | *miró a su alrededor* ↑ | *y se volvió a esconder.* ↓

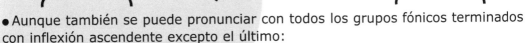

• Aunque también se puede pronunciar con todos los grupos fónicos terminados con inflexión ascendente excepto el último:

El animal sacó la cabeza ↑ | *miró a su alrededor* ↑ | *y se volvió a esconder.* ↓

Fonética, entonación y ortografía

195

15. Escuche y repita las frases siguientes marcando las diferentes inflexiones:

INFLEXIÓN DESCENDENTE ↓	INFLEXIÓN DESCENDENTE ↓	INFLEXIÓN ASCENDENTE ↑	INFLEXIÓN DESCENDENTE ↓
1 Uno	dos	tres	y cuatro
2	No quiero quejas	reclamaciones	ni malas formas
3 Llegué a la panadería	saludé al panadero	compré el pan	y me marché

16. Escuche y repita las frases siguientes marcando las diferentes inflexiones:

INFLEXIÓN ASCENDENTE ↑	INFLEXIÓN ASCENDENTE ↑	INFLEXIÓN ASCENDENTE ↑	INFLEXIÓN DESCENDENTE ↓
1 Uno	dos	tres	y cuatro
2	No quiero quejas	reclamaciones	ni malas formas
3 Llegué a la panadería	saludé al panadero	compré el pan	y me marché

17. Escuche los refranes, separe los grupos fónicos y señale las inflexiones:

1 *Treinta días trae noviembre,* ↑ | *como abril,* ↑ | *junio* ↑ | *y septiembre.* ↓

2 Mayo hortelano, mucha paja y poco grano.

3 Mi casa, mi misa y mi doña Luisa.

4 Oír, ver y callar.

18. Escuche los siguientes poemas, marque los enlaces entre palabras e indique la inflexión de cada verso:

1 El sol es mi padre
la luna es mi madre
y las estrellitas
son mis hermanas.

Ciro Alegría

2 Cuando yo me muera,
enterradme con mi guitarra
bajo la arena.
Cuando yo me muera
entre los naranjos
y la hierbabuena.

Federico García Lorca

19. Escuche los poemas siguientes, marque los enlaces entre palabras, separe los grupos fónicos e indique la inflexión de cada uno:

1 Yo te he nombrado reina.
Hay más altas que tú, más altas.
Hay más puras que tú, más puras.
Hay más bellas que tú, hay más bellas.
Pero tú eres la reina.

Pablo Neruda

2 Por una mirada, un mundo;
por una sonrisa, un cielo;
por un beso..., ¡yo no sé
qué te diera por un beso!

Gustavo Adolfo Bécquer

Fonética, entonación y ortografía

197

20. Escuche el siguiente texto y luego léalo. Están marcadas las pausas, las inflexiones de cada grupo fónico y los enlaces entre palabras:

SIGNIFICADO DE LOS SIGNOS

| | Pausa muy breve

|| Pausa breve (1 segundo aproximadamente)

||| Pausa larga (2 segundos aproximadamente)

➡ Tono en suspenso

⬆ Entonación ascendente

⬇ Entonación descendente

⌐⌐ Enlace de una consonante final con la vocal siguiente, o con otra consonante igual

⌣ Sinalefa o unión de dos vocales iguales

Durante algunos días ⬆ | esperó en vano. ⬇ || Pero por fin ⬆ Chichín lo recibió con una seña ⬆ | y le dio un sobre. ⬇ || Temblando, ⬆ | lo abrió ⬆| y desdobló la carta. ⬇ || Con la letra enorme, ⬇ | desigual ⬇ | y nerviosa ⬇ | que tenía, ⬆ | le decía, ➡ | simplemente, ⬆ | que lo esperaba a las seis. ⬇ |||

A las seis menos algo ⬆| estaba en el banco del parque, ⬇| agitado ⬆| pero feliz, ⬇| pensando que ahora tenía a quién contarle sus desdichas. ⬇ ||

Y a alguien como Alejandra, ⬇| tan desproporcionado ⬆| como para un pordiosero ⬆| encontrar el tesoro de Morgan. ⬇|||

Corrió hacia ella ⬆| como un chico, ⬇| le contó lo de la imprenta. ⬇ |||
–Me hablaste de un tal Molinari ⬇| –dijo Martín–. ⬇|| Creo que dijiste ⬆| que tenía una gran empresa. ⬇|||

Alejandra ⬆| levantó su mirada hacia el muchacho, ⬇| con las cejas en alto, ⬇| demostrando sorpresa. ⬇|||

Ernesto Sábato. *Sobre héroes y tumbas*

21. Lea el siguiente texto y marque las pausas, las inflexiones de los grupos fónicos y los enlaces entre palabras. Después, escuche la grabación y contraste su lectura:

–Vamos, no pierdas tiempo, ponte un abrigo.

Cogió del armario unos cuantos vestidos y se los echó al brazo. Me sacudió un poco porque yo no reaccionaba; casi me arrastró hasta la puerta; allí me dijo, con un gesto cariñoso:

–Ahora, silencio: ya hablaremos tú y yo.

Bajamos por la escalerilla del mirador, porque mi tío había dejado el coche junto a la puerta de detrás. No encontramos a nadie a nuestro paso; nos metimos en el coche y echamos a andar hacia Valladolid.

Podría dar por terminado el relato. Estamos ya en el mes de marzo. Han pasado cinco meses y mi vida en este tiempo me es tan ajena como la de cualquier vecino de la ciudad, cuyo idioma casi desconozco.

Rosa Chacel. *Memorias de Leticia Valle*

Capítulo 27
La entonación de la frase interrogativa

Cuadro A

Frase interrogativa total

● Las frases interrogativas totales preguntan por la verdad o falsedad de la expresión: son aquéllas que se contestan con un sí o un no.

Su línea melódica tiene una elevación de la voz por encima del tono normal desde la primera sílaba acentuada, sigue con un descenso hasta la última sílaba tónica y se eleva luego hasta el punto más alto de toda la línea melódica:

¿Se **va** mañana?

Este ascenso inicial por encima del tono normal justifica en español el uso de los signos de interrogación, no sólo al final, como en otras lenguas, sino también al principio (¿?).

● La estructura sintáctica de una frase interrogativa total es igual que la de una afirmativa, sólo las diferencia la entonación. Pero, generalmente, en las interrogativas el sujeto se coloca después del verbo:

Afirmativa:　　　　　Este disco es tuyo.
Interrogativa total:　¿Este disco es tuyo? o ¿Es tuyo este disco?

---

 1. Escuche y pronuncie la misma palabra dos veces, una con línea melódica ascendente y otra descendente:

	Inflexión ascendente ↑	Inflexión descendente ↓
1	¿No?	No
2	¿Aquí?	Aquí
3	¿Hoy?	Hoy
4	¿Bien?	Bien
5	¿Más?	Más
6	¿Así?	Así

2. ¿Qué escucha usted? Marque la casilla correcta:

		Inflexión ascendente ↑	Inflexión descendente ↓
1	Debajo de la mesa	☒	☐
2	Saliendo de casa	☐	☐
3	En el coche	☐	☐
4	Una flor	☐	☐
5	Al llegar a la oficina	☐	☐
6	Mañana por la tarde	☐	☐

 3. Escuche y repita los diálogos siguientes:

	PREGUNTA Inflexión ascendente ↑	RESPUESTA Inflexión descendente ↓
1	¿Te vas?	Sí, sí me voy
2	¿Entras?	Sí, sí entro
3	¿Subís?	Sí, sí subimos
4	¿Me llamas?	Sí, sí te llamo
5	¿Tomáis algo?	Sí, sí tomamos algo
6	¿Me quieres?	Sí, sí te quiero

 4. Escriba la pregunta. A continuación escuche y compruebe si es correcta:

	RESPUESTA	PREGUNTA
1	No, no tengo hora	...*¿Tienes hora?*.........
2	No, no te ayudo	....
3	No, no entiendo	....
4	No, no te escribiré	....
5	No, no viajo mucho	....

Fonética, entonación y ortografía

5. Escuche y repita la frase dos veces, una con linea melódica descendente y otra ascendente:

1 Estás aquí / ¿Estás aquí?

2 Son las doce / ¿Son las doce?

3 Ayer te vio / ¿Ayer te vio?

4 Tienes que hacerlo / ¿Tienes que hacerlo?

5 No le ha gustado / ¿No le ha gustado?

6 Está enfermo / ¿Está enfermo?

6. Escuche y transforme la frase afirmativa en interrogativa poniendo el verbo en primer lugar. A continuación escuche y compruebe si es correcto:

1 Juan ha llegado: ....*¡Ha llegado Juan?*................

2 Tu perro come mucho: ....

3 La oficina está cerrada: ....

4 Esta casa se vende: ....

5 El grifo se ha estropeado: ....

6 El teléfono suena: ....

Cuadro B

Refuerzo de una pregunta

● La frase interrogativa total reforzada con partículas como **¿no?**, **¿verdad?**... está formada por dos grupos fónicos: el primero termina en un tono descendente y el segundo en tono ascendente:

Tú no tomas azúcar, ↓ ¿no? ↑

Frases interrogativas con vocativo

● La frase interrogativa que termina con un vocativo (palabra que sirve para llamar al oyente), también está formada por dos grupos fónicos: el primero con inflexión descendente y el segundo, ascendente:

¿Desea algo, ↓ caballero? ↑

7. Escuche y repita los dos grupos fónicos marcando las diferentes inflexiones:

	INFLEXIÓN DESCENDENTE ↓	INFLEXIÓN ASCENDENTE ↑
1	Estás contenta	¿no?
2	Viene hoy	¿verdad?
3	Te portarás bien	¿eh?
4	¿Puedo pasar,	señorita?

8. Escuche y pronuncie las tres mismas frases con las diferentes entonaciones:

	INFLEXIÓN DESCENDENTE ↓	INFLEXIÓN ASCENDENTE ↑	INFLEXIÓN DESCENDENTE/ASCENDENTE ↓ ↑
1	Habla francés	¿Habla francés?	Habla francés, ¿no?
2	Te gusta	¿Te gusta?	Te gusta, ¿verdad?
3	Es guapa	¿Es guapa?	Es guapa ¿eh?

9. Escuche y transforme la pregunta según el modelo. Después escuche y compruebe si es correcto:

1 Señora, ¿puedo hacerle una pregunta?:
¿Puedo hacerle una pregunta, señora?

2 Mamá, ¿qué hora es?: ....

3 Oiga, ¿me oye?: ....

4 Cariño, ¿me acompañas?: ....

5 Teresa, ¿me lo dejas?: ....

Fonética, entonación y ortografía

203

Frase interrogativa larga

● Si la frase interrogativa total resulta larga se suele dividir en dos o más grupos fónicos. La inflexión ascendente sólo aparece en el último grupo, los otros grupos terminan con un pequeño descenso del tono:

¿Recuerdas lo que te dije ↓ *la última vez que te vi?* ↑

Interrogativas en dos partes unidas por o

● Si la frase tiene dos términos unidos por la conjunción *o*, cada término forma un grupo fónico: el primero termina con una inflexión ascendente y el segundo con una inflexión descendente:

¿Vuelves hoy ↑ *o mañana?* ↓

10. Escuche y repita las frases siguientes marcando las diferentes inflexiones:

INFLEXIÓN DESCENDENTE ↓	INFLEXIÓN DESCENDENTE ↓	INFLEXIÓN ASCENDENTE ↑
1	¿Recuerdas lo que te dije	la última vez que te vi?
2 ¿Has pensado alguna vez	en lo fácil que es hacer amigos	si uno se lo propone?
3 ¿Quieres aprender español	de una manera rápida	y con poco esfuerzo?

11. Escuche las frases interrogativas, separe los grupos fónicos y señale las inflexiones:

1 *¿No te he dicho una y mil veces* ↓ | *que no juegues por aquí con la pelota?* ↑
2 ¿Te acuerdas de aquel día de verano que estábamos en la playa y se perdió el niño?
3 ¿Tiene usted una pieza de metal con una pequeña rosca que sirve para sujetar esto?
4 ¿Has visto por aquí encima un libro con tapas rojas?

12. Escuche y repita los dos grupos fónicos marcando las diferentes inflexiones:

INFLEXIÓN ASCENDENTE ↑	INFLEXIÓN DESCENDENTE ↓
1 ¿Se lo envuelvo	o se lo lleva puesto?
2 ¿Lo compraste en Madrid	o en Valladolid?
3 ¿Nos vamos ya	o la esperamos un rato más?
4 ¿Estudiarás Medicina	o seguirás la carrera de tu padre?

 Cuadro **D**

Frase interrogativa parcial

● Las frases interrogativas parciales preguntan sobre algún dato concreto de la expresión, por lo que la respuesta no puede ser sólo sí o no, sino que es abierta.

● Estas frases empiezan con un ***elemento interrogativo*** (pronombre, adverbio o adjetivo), que es la partícula más importante.
La línea melódica de la frase interrogativa parcial comienza con una marcada elevación del tono sobre la primera sílaba tónica y termina con una inflexión descendente evitando una exageración en la interrogación. Esto es debido a que el elemento interrogativo inicial ya indica por sí solo la interrogación:

¿Quién viene?

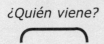

 13. Escuche y repita las preguntas siguientes marcando la inflexión descendente:

1	¿Dónde estás?	4	¿Cómo lo has sabido?
2	¿Por qué lo dices?	5	¿Quién ha llegado?
3	¿Cuánto vale?	6	¿Cuándo estará aquí?

Fonética, entonación y ortografía

14. Escriba la pregunta. A continuación escuche y compruebe si es correcta:

	RESPUESTA	PREGUNTA
1	Estoy cansado	...*¿Cómo estás?*...
2	Va de compras	....
3	Es un poco delgado	....
4	No vale nada	....
5	Se ha ido Alicia	....
6	Me encontré con Paloma	....

15. El signo de interrogación debe ponerse sólo al principio y al final de la pregunta, aunque la frase interrogativa no coincida con toda la oración. Escuche y coloque los signos de interrogación:

1 Cuando lo veas, qué le dirás: ...*Cuando lo veas, ¿qué le dirás?*...

2 Entonces, de dónde sacarás el dinero: ....

3 Perdone, a qué hora pasa el tren: ....

4 Carmen, tú cuál prefieres: ....

5 Oiga, por favor, quién es usted: ....

Cuadro E

Interrogativas parciales de cortesía o sorpresa

● Si la frase interrogativa parcial se pronuncia con cortesía, la inflexión final es ascendente:

> ¿Cuánto le debo?

● Si la frase se pronuncia con sorpresa o extrañeza la inflexión final es circunfleja (ascenso y descenso rápido):

> ¿Quién ha venido?

● La inflexión circunfleja también se produce cuando el hablante repite la pregunta de su interlocutor como señal de sorpresa o extrañeza:

> Interlocutor 1: *¿Para qué sirve?*
> Interlocutor 2: *¿Para qué sirve?* / *¿Que para qué sirve?*

16. Escuche y repita las frases siguientes marcando la inflexión ascendente de cortesía:

1	¿Cuánto le debo?	*4*	¿En qué puedo atenderle?
2	¿Qué desea?	*5*	¿Con cuál se queda?
3	¿Qué le parece?	*6*	¿Con quién hablo?

17. Escuche el siguiente diálogo y subraye las frases interrogativas parciales pronunciadas con cortesía (inflexión ascendente):

VENDEDORA.– Buenas tardes, **¿qué desea?**

COMPRADOR.– ¿Tiene sandalias?

VENDEDORA.– Sí, señor, ¿de qué número?

COMPRADOR.– Del 40.

VENDEDORA.– Tome usted. ¿Cómo le están?

COMPRADOR.– ¿Tiene un calzador, por favor?

VENDEDORA.– Por supuesto. Permítame, ¿quiere que le ayude?

COMPRADOR.– No, muchas gracias. Me están perfectamente. ¿Cuánto valen?

VENDEDORA.– 39 euros.

COMPRADOR.– Estupendo. ¿Me las envuelve para regalo?

18. Escuche y repita estas frases dos veces, cada una con una entonación diferente:

Interrogativa parcial normal	Interrogativa parcial de sorpresa o extrañeza
INFLEXIÓN DESCENDENTE ↓	**INFLEXIÓN CIRCUNFLEJA ↑ ↓**

1	¿Quién ha venido?	¿Quién ha venido?
2	¿Con quién has estado?	¿Con quién has estado?
3	¿Dónde te has metido?	¿Dónde te has metido?
4	¿Cómo te has enterado?	¿Cómo te has enterado?

Fonética, entonación y ortografía

19. Escuche y termine los diálogos siguiendo el modelo:

1   A.– ¿Dónde te vas?
     B.– A hacer un viaje espacial.
     A.– ....¿Dónde dices?..........

2   A.–¿Cuál te gusta?
     B.– El más feo.
     A.– ....

3   A.– ¿Cómo lo haces?
     B.– Lo hago sin mirar.
     A.– ....

4   A.– ¿Cuándo te irás?
     B.– Dentro de cinco años.
     A.– ....

5   A.– ¿Dónde vives?
     B.– En el Polo Norte.
     A.– ....

┌───┐
 APLICACIÓN DE LA ENTONACIÓN EN POEMAS
└───┘

20. Escuche los siguientes poemas, marque los enlaces entre palabras e indique la inflexión de cada verso:

1   –¿Qué es poesía? –dices mientras clavas
    en mi pupila tu pupila azul–.
    ¿Qué es poesía? ¿Y tú me lo preguntas?
    Poesía... eres tú...

                    Gustavo Adolfo Bécquer

2   Opina un civilizado.
    ¿Cómo? Con sus aviones.
    ¿O es la influencia del Hado?
    ¿Son tierra y cielo espejos?
    Opina un desconocido.
    ¿Cómo? Con una pistola.
    ¿Cae un hombre malherido?
    Opina un color: el blanco.
    ¿Cómo? Con algunas balas.
    ¿El negro ha de ser el blanco?
    Opina un gobierno fuerte.
    ¿Cómo? Con tanque en la calle.
    Muerte, muerte, muerte, muerte.

                    Jorge Guillén

21. Escuche el siguiente texto y luego léalo. Están marcadas las pausas, las inflexiones de cada grupo fónico y los enlaces entre palabras:

SIGNIFICADO DE LOS SIGNOS

| | Pausa muy breve

|| Pausa breve (1 segundo aproximadamente)

||| Pausa larga (2 segundos aproximadamente)

➡ Tono en suspenso

↑ Entonación ascendente

↓ Entonación descendente

⊔ Enlace de una consonante final con la vocal siguiente o con otra consonante igual

⌣ Sinalefa o unión de dos vocales iguales

EDGARDO.– ¿De dón↑de es usted? ↓||

LEONCIO.– De Soria. ↓||

EDGARDO.– ¿Qué↑ color prefiere? ↓||

LEONCIO.– El gris. ↓||

EDGARDO.– ¿Le dominan a usted las mujeres? ↑||

LEONCIO.– No pueden conmigo, ↓| señor. ↓||

EDGARDO.– ¿Có↑mo se limpian los cuadros al óleo? ↓||

LEONCIO.– Con agua y jabón. ↓||

EDGARDO.– ¿Sabe usted los principales trayectos ferroviarios de España? ↑||

FERMÍN.– (*Interviniendo*) Hoy empezaré a enseñárselos, ↓| señor. ↓||

EDGARDO.– ¿Qué↑ comen los búhos? ↓||

LEONCIO.– Aceite y carnes muy fritas. ↓||

EDGARDO.– ¿Cuán↑tas horas duerme usted? ↓||

LEONCIO.– Igual me da➡| dos que quince. ↓||

EDGARDO.– ¿Fuma usted? ↑||

Fonética, entonación y ortografía

LEONCIO.– Cacao. ↓ ‖

EDGARDO.– ¿Sabe usted poner inyecciones? ↑ ‖

LEONCIO.– Sí, señor. ↓ ‖

EDGARDO.– ¿Le molestan las personas nerviosas, ↓ | de genio

destemplado y desigual, ↓ | excitadas ↓ | y un poco desequilibradas? ↑ ‖

LEONCIO.– Esa clase de personas me encanta, ↓ | señor. ↓ ‖

EDGARDO.– ¿Qué ↑ reloj usa usted? ↑ ‖

LEONCIO.– Longines. ↓ ‖

EDGARDO.– ¿Le extraña a usted que yo lleve acostado, → | sin levantarme,

↓ | veintiún años? ↑ ‖

LEONCIO.– No, señor. ↓ | Eso le pasa a casi todo el mundo. ↓ ‖‖

Enrique Jardiel Poncela. *Eloísa está debajo de un almendro*

22. Lea los siguientes textos y marque las pausas, las inflexiones de los grupos fónicos y los enlaces entre palabras. Después, escuche la grabación y contraste su lectura:

FÉLIX.– ¿Qué es lo que más le gusta a usted de la Costa?

SILVIA.– El azul del cielo de Montecarlo.

FÉLIX.– ¿Y a ti?

RAMÓN.– El verde de las mesas del Casino.

FÉLIX.– ¿Pierdes?

RAMÓN.– Gano.

FÉLIX.– Y eso, ¿cómo se hace?

RAMÓN.– Es muy fácil: me llevo conmigo a Silvia, que, automáticamente, empieza a timarse con todos los que brujulean por los salones, y entonces, yo, aprovechando el refrán de "desgraciado en amores, afortunado en el juego", apunto y me hincho. La ganancia es infalible.

FÉLIX.– Pero ¿y si te la quita alguien?

RAMÓN.– ¿La ganancia?

FÉLIX.– No. A Silvia.

RAMÓN.– ¡Hombre! Si me la quitasen, ¡triplicaba un pleno!

SILVIA.– ¿Habrá imbécil?

Enrique Jardiel Poncela. *Las cinco advertencias de Satanás*

210

23. Escuche y repita estas preguntas haciendo los enlaces y las uniones entre palabras.

1 ¿Cómo te llamas?

2 ¿Cómo eres?

3 ¿Cuántos años tienes?

4 ¿Cómo estás?

5 ¿Cuál es tu opinión?

6 ¿Con quién estás?

7 ¿Por qué estás aquí?

8 ¿Hasta cuándo te quedas?

9 ¿Qué hora es?

10 ¿Quién falta?

11 ¿Qué es esto?

12 ¿Cuántas veces?

Fonética, entonación y ortografía

Capítulo 28
La entonación de la frase exclamativa

Cuadro A

- Las **frases exclamativas** expresan emociones, sentimientos, afectos o percepciones. En la escritura estas frases se representan con signos de exclamación delante y detrás (¡!).

- En general, la línea melódica de las frases exclamativas se caracteriza por un ascenso rápido del tono seguido de un descenso brusco.

Frases exclamativas de una sola palabra

- Si la frase exclamativa está formada por una sola palabra, el punto más alto de la línea melódica coincide con la sílaba tónica, que se pronuncia más larga y más **fuerte** de lo normal. Además todos los sonidos de la palabra se marcan y distinguen entre sí muy claramente.

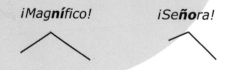

¡Magnífico!   *¡Señora!*

---

 1. Escuche y repita, pronunciando más larga y fuerte la sílaba tónica:

1 ¡Magnífico!

2 ¡Óigame!

3 ¡Padre!

4 ¡Bien!

5 ¡Señora!

6 ¡Asombroso!

7 ¡Yo!

8 ¡No!

2. Recuerde que hay palabras en las que el hablante puede hacer tónicas otras sílabas para dar mayor expresividad (ver Capítulo 21). Escuche y repita cada palabra dos veces:

	Exclamación normal	Exclamación de mayor expresividad
1	¡Impresio**nan**te!	¡**Im**presio**nan**te!
2	¡Extraordi**na**rio!	¡**Ex**traordi**na**rio!
3	¡Despre**cia**ble!	¡**Des**pre**cia**ble!

3. Escuche y repita la misma palabra tres veces, cada una con una entonación diferente:

ENTONACIÓN AFIRMATIVA	ENTONACIÓN INTERROGATIVA	ENTONACIÓN EXCLAMATIVA
1 Suerte	¿Suerte?	¡Suerte!
2 Fantástico	¿Fantástico?	¡Fantástico!
3 Impresentable	¿Impresentable?	¡Impresentable!

4. Escuche y repita los diálogos siguientes:

1
 – ¿Llueve?
 – Llueve.
 – ¡Llueve!

2
 – ¿Pequeño?
 – Pequeño.
 – ¡Pequeño!

3
 – ¿Mamá?
 – Mamá
 – ¡Mamá!

4
 – ¿Todo?
 – Todo.
 – ¡Todo!

5
 – ¿Mal?
 – Mal.
 – ¡Mal!

6
 – ¿Treinta?
 – Treinta.
 – ¡Treinta!

Fonética, entonación y ortografía

5. Escuche y clasifique las palabras siguientes según la entonación. Ponga los signos de interrogación o exclamación cuando lo crea necesario:

1 Bárbaro	*5* Espantoso	*9* Gigante
2 Demasiado	*6* Luego	*10* Entonces
3 Caballero	*7* Niña	*11* Ya
4 Siempre	*8* Fuerte	*12* Algo

ENTONACIÓN AFIRMATIVA	ENTONACIÓN INTERROGATIVA	ENTONACIÓN EXCLAMATIVA
		¡Bárbaro!

Cuadro B

Frases exclamativas formadas por dos o más palabras

• En las frases exclamativas formadas por dos o más palabras, el punto más alto de la línea melódica cae sobre la sílaba tónica de la palabra que se quiera destacar.

– Si esta sílaba está al principio de la frase, todo el resto tiene una entonación descendente:

*¡**Nun**ca se acuerda de mí!*

– Si es la última sílaba de la frase, toda la entonación es ascendente:

*¡Nunca se acuerda de **mí**!*

– Y si es una sílaba intermedia, la entonación de la frase es ascendente hasta dicha sílaba y luego descendente hasta el final:

*¡Nunca se **acuer**da de mí!*

6. Escuche y pronuncie las tres mismas frases con las diferentes entonaciones, según la palabra resaltada:

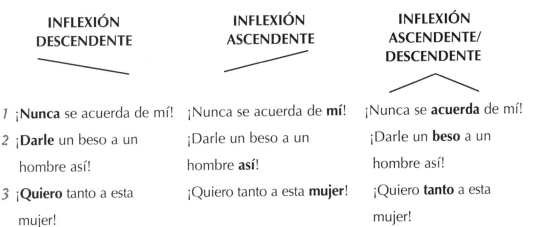

INFLEXIÓN DESCENDENTE	INFLEXIÓN ASCENDENTE	INFLEXIÓN ASCENDENTE/ DESCENDENTE
1 ¡**Nunca** se acuerda de mí!	¡Nunca se acuerda de **mí**!	¡Nunca se **acuerda** de mí!
2 ¡**Darle** un beso a un hombre así!	¡Darle un beso a un hombre **así**!	¡Darle un **beso** a un hombre así!
3 ¡**Quiero** tanto a esta mujer!	¡Quiero tanto a esta **mujer**!	¡Quiero **tanto** a esta mujer!

 7. Escuche las frases exclamativas, subraye la palabra que se destaca y marque la entonación correspondiente (ascendente, descendente o ascendente/descendente):

1   ¡*Ésta* es mi mejor canción!

2   ¡Todo va a salir bien!

3   ¡Está guapísima tu hija!

4   ¡Él es mi peor enemigo!

5   ¡Jamás he visto nada igual!

6   ¡Nada es lo mismo sin ti!

 8. Escuche y repita los diálogos siguientes:

1   – ¿Está enfermo?
– Está enfermo.
– ¡Está enfermo!

2   – ¿Le gusta?
– Le gusta.
– ¡Le gusta!

3   – ¿Se ha enamorado?
– Se ha enamorado.
– ¡Se ha enamorado!

9. Escuche y marque con una cruz la frase que oiga:

a)   ◯ Ya no te acuerdas de mí
⊗ ¿Ya no te acuerdas de mí?
◯ ¡Ya no te acuerdas de mí!

b)   ◯ Jamás me lo perdonará
◯ ¿Jamás me lo perdonará?
◯ ¡Jamás me lo perdonará!

10. Escuche las frases, separe los grupos fónicos, marque los enlaces entre palabras y señale las inflexiones:

1   Ya te <u>lo he</u> dicho: ↓ | ¡nada de armas! ↓

2   ¡Basta de hacer el tonto! –gritó enfadado.

3   ¡Felicidades! –dijeron todos–. ¡Lo has conseguido!

4   Y el público coreaba: ¡otra!, ¡otra!, ¡otra!

5   ¡Bien dicho! ¡Sí señor! ¡Así se habla!

Cuadro C

Formas exclamativas propias

● Hay formas o categorías gramaticales específicas de la exclamación:

   – Las **interjecciones** o la **expresiones interjectivas** no tienen un significado concreto, pero se usan para expresar una impresión repentina o un sentimiento profundo (sorpresa, dolor, molestia, amor...):

   ¡ah!   *¡anda!*   *¡por Dios!*

   – Los pronombres, adjetivos y adverbios exclamativos (qué, quién, cómo, cuánto, etc):

   ¡Qué bonito!   *¡Quién lo diría!*

   – La partícula *si.*

   ¡Si al menos lo supiera!

● La frases que empiezan con una forma por sí misma exclamativa, colocan el tono principal de la línea melódica sobre esa palabra, haciendo descendente el resto de la frase:

¡Ah, sólo piensan en ellos!   *¡Qué bonito!*   *¡Si al menos lo supiera!*

---

11. Escuche y repita las frases siguientes marcando la entonación descendente a partir de la interjección inicial:

1 ¡Vaya idea más absurda!	*5* ¡Ah, mi querida señorita!
2 ¡Encima dices que no es nada!	*6* ¡Demonio de niño!
3 ¡Hombre, señor alcalde!	*7* ¡Bah, no me gusta nada!
4 ¡Ay de mí!	*8* ¡Caramba, no lo sabía!.

12. Escuche y repita las frases siguientes marcando la entonación descendente a partir del elemento exclamativo inicial:

1 ¡Qué lástima!

2 ¡Cuántos pájaros hay en ese árbol!

3 ¡Si al menos me tocara algo!

4 ¡Qué poco te interesa!

5 ¡Si te imaginaras lo que te quiero!

6 ¡Cómo llueve!

 13. Escuche y repita la misma frase dos veces, cada una con su entonación:

INTERROGATIVA

1 ¿Cuántos libros hay aquí?

2 ¿Qué coche?

3 ¿Qué has hecho?

EXCLAMATIVA

¡Cuántos libros hay aquí!

¡Qué coche!

¡Qué has hecho!

APLICACIÓN DE LA ENTONACIÓN EN POEMAS

---

 14. Escuche los siguientes poemas, marque los enlaces entre palabras e indique la inflexión de cada verso:

1 ¡Tómame ahora que aún es temprano
y que tengo rica de nardos la mano!

Hoy y no más tarde. Antes que anochezca
y se vuelva mustia la corola fresca.

Hoy, y no mañana. ¡Oh amante!, ¿no ves
que la enredadera crecerá ciprés?

Juana de Ibarbourou

poemas

2 Yo fui un soldado que durmió en el lecho
de Cleopatra la reina. Su blancura
y su mirada astral omnipotente.
   Eso fue todo.

¡Oh mirada! ¡oh blancura! y ¡oh aquel lecho
en que estaba radiante la blancura!
¡oh la rosa marmórea omnipotente!
   Eso fue todo.

Y crujió su espinazo por mi brazo;
y yo, liberto, hice olvidar a Antonio
(¡oh el lecho y la mirada y la blancura!)
   Eso fue todo.

          Rubén Darío

15. Escuche de nuevo los poemas anteriores y vaya repitiendo verso a verso.

APLICACIÓN DE LA ENTONACIÓN EN TEXTOS

16. Escuche el siguiente texto y luego léalo. Están marcadas las pausas, las inflexiones de cada grupo fónico y los enlaces entre palabras:

SIGNIFICADO DE LOS SIGNOS	
I	Pausa muy breve
II	Pausa breve (1 segundo aproximadamente)
III	Pausa larga (2 segundos aproximadamente)
➡	Tono en suspenso
↑	Entonación ascendente
↓	Entonación descendente
⊔	Enlace de una consonante final con la vocal siguiente o con otra consonante igual
⌣	Sinalefa o unión de dos vocales iguales

El matrimonio cenó sopa, ↓| chicharros fritos ↑|| y un plátano. ↓| Después del postre, ↑| don Roberto miró fijo para su mujer. ↓|||

–¿Qué↑ quieres que te regale mañana? ↓|||

La mujer sonrió, ↓| llena de felicidad↑| y de agradecimiento. ↓|||

–¡Ay, ↑ Roberto! ↓|| ¡Qué↑ alegría! ↓|| Creí que este año↑| tampoco te ibas a acordar. ↓|||

–¡Calla, boba! ↑|| ¿Por qué↑ no me iba a acordar? ↓|| El año pasado↑| fue por lo que fue, ↓| pero este año...➜|||

–¡Ya ves! ↑| ¡Me encuentro tan↑ poquita cosa! ↓|||

A la mujer, ➜| como hubiese seguido, ↑| tan sólo un instante, ↑| pensando en su pequeñez, ↑| se le hubieran arrasado los ojos de lágrimas. ↓|||

–Di, ↓| ¿qué↑ quieres que te regale? ↓|||

–¡Pero, hombre! ↑|| ¡Con lo mal↑ que andamos! ↓|||

Don Roberto, mirando para el plato, ↑| bajó un poco la voz. ↓|||

–En la panadería↑| pedí algo a cuenta. ↓|||

La mujer lo miró cariñosa, ↓| casi entristecida. ↓||

–¡Qué↑ tonta soy! ↓|| Con la conversación↑| me había olvidado de darte↑| un vaso de leche. ↓|||

Camilo José Cela. La colmena

 17. Lea el siguiente texto y marque las pausas, las inflexiones de los grupos fónicos y los enlaces entre palabras. Después, escuche la grabación y contraste su lectura:

–¿Eso es justo, Petrita?

–No, señorito, no lo es.

–¡Ay, hija! ¡Si no fuera porque tú me endulzas un poco esta bazofia!

Petrita se pone colorada.

–Anda, deme la lata, que hace frío.

–¡Hace frío para todos, desgraciada!

–Usted perdone...

Martín reacciona en seguida.

–No me hagas caso. ¿Sabes que estás ya hecha una mujer?

–Ande, cállese.

–¡Ay, hija, ya me callo! ¿Sabes lo que yo te daría, si tuviera menos conciencia?

–Calle.

–¡Un buen susto!

–¡Calle!

Camilo José Cela. La colmena

Fonética, entonación y ortografía

Claves

CAPÍTULO 1 ———————————

2. **Página 5:** 1. Tol<u>e</u>do, 2. tel<u>é</u>fono, 3. <u>e</u>ste, 4. Panam<u>á</u>, 5. agosto,
6. m<u>a</u>no, 7. s<u>á</u>bado, 8. f<u>o</u>ndo.

3. **Página 5:** a) saque, b) bala, c) caballa, d) poco, e) envenena,
f) monos.

4. **Página 6:** a) pasa, b) pela, c) besa, d) beca, e) sola, f) cosa,
g) seco, h) temo, i) bollo.

5. **Página 6:** pata, mesa, boca, vaca, ala, cola, llave, cola, saco,
gato, secado, botella, salte, salto, sábana, delante, sábana, manta.
CAMA.

8. **Página 7:** 1. mareo, 2. bacalao, 3. paella, 4. soleado,
5. empleo, 6. escaseo, 7. peatones, 8. tapeo.

9. **Página 7:** 1. una sola vocal, 2. una vocal larga, 3. una vocal
larga, 4. una sola vocal, 5. una vocal larga, 6. una vocal larga,
7. una vocal larga, 8. una sola vocal.

11. **Página 8:** 1. tute, 2. pase, 3. costee, 4. azar.

13. **Página 9:** 1. ¿qu<u>é hago</u>?, 2. tengo hambre, 3. t<u>e ha</u> venido
<u>a v</u>er, 4. eso es todo, 5. es<u>a es</u> otra, 6. n<u>o h</u>ace falta, 7. vin<u>o a</u> mi
casa, 8. tómat<u>e algo</u>, 9. no t<u>e oye A</u>na.

14. **Página 9:** a) Lo he visto. b) Vine a verte. c) Lo ahogo.
d) Tomo algo. e) Se lo ha pintado. f) No ha sido.

16. **Página 10:** 1. única alma, 2. miré el balón, 3. ¿dónde estás?,
4. tengo ocho, 5. pasa aquí, 6. va a casa, 7. ¿qué es esto?

17. **Página 10:** a) 2, 1 b) 2, 1 c) 1, 2 d) 1, 2 e) 2, 1 f) 2, 1.

18. **Página 10:** 1. anormalidad, 2. abandera, 3. negar, 4. emoción,
5. beso.

19. **Página 11:** a) 1, 2 b) 2, 1 c) 1, 2 d) 2, 1 e) 2, 1.

20. **Página 11:** 1. cantao, 2. canta, 3. da, 4. dao,
5. coloco, 6. colocao, 7. coloca, 8. nada, 9. nadao.

21. **Página 11:** 1. saltao, 2. hablao, 3. sonado, 4. tomao,
5. secado, 6. contestado, 7. asomado, 8. invitao.

22. **Página 12:** 1. y 3.

DIÁLOGO 1: Página 12
  A. ¿M<u>e e</u>ntiende?
  B. Sí, yo hablo español.
  A. Me llamo Olga Ávila.
  B. Hola, encantado, yo Óscar Smith.
  A. ¿S<u>e e</u>scribe así?
  B. Eso es.
  A. ¿De dónde <u>e</u>s?
  B. D<u>e E</u>scocia.
  A. Adelante, espere allí sentado.
  B. Gracias, hast<u>a a</u>hora.

CAPÍTULO 2 ———————————

3. **Página 14:** a) vivo, b) tila, c) mesa, d) meto, e) tintado, f) pico,
g) peso, h) queso, i) pisada.

4. **Página 14:** a) Cuba, b) sobe, c) Lucas, d) puse, e) boda,
f) burla, g) asumo, h) poso, i) lona.

5. **Página 14:** 1. uso, 2. luna, 3. así, 4. cutis, 5. minuto,
6. ilumino, 7. difícil, 8. vida.

7. **Página 15:** 1. es una trib<u>u i</u>ndígena, 2. hago f<u>u y</u> se va,
3. as<u>í h</u>uye el cobarde, 4. cuida t<u>u i</u>magen, 5. mi huch<u>a e</u>s ésta,
6. si Úrsul<u>a e</u>stá, llámala, 7. n<u>o e</u>s de s<u>u i</u>nterés, 8. perd<u>í una h</u>ora,
9. por allí huyó.

8. **Página 15:** 1. si usted lo dice, 2. él y una amiga, 3. no es mi
universidad, 4. tengo casi un millón, 5. tu ideal de hombre, 6. no
hablo su idioma.

9. **Página 16:** a) Espíritu liberal. b) Tu icono. c) Un hindú irresponsable. d) Este champú va bien. e) Nido. f) Aquí no.

11. **Página 17:** 1. ven aquí inmediatamente, 2. tú huyes de mí, 3.
un sí impaciente, 4. este es mi ídolo, 5. espíritu humano,
6. ¡qué cursi idea!

12. **Página 17:** 1. así va, 2. tu única, 3. tu mano, 4. El taxi iba,
5. su uva, 6. un safari ilegal.

DIÁLOGO 2: Página 18
  A. Perdón, ¿qué call<u>e e</u>s ésta?
  B. Avenid<u>a A</u>lberti, esquin<u>a a</u> Luna.
  A. ¿Hay por aqu<u>í una</u> oficina de turismo?
  B. Sí, hijo, a s<u>u i</u>zquierda, en esta mism<u>a a</u>venida.
  A. ¿Est<u>á a</u>quí cerca?
  B. Sí, n<u>o e</u>s difícil, sig<u>a e</u>sta acera.
  A. ¿<u>Y</u> un hipermercad<u>o a</u>bierto?
  B. ¡Huy! N<u>i h</u>ipermercado ni nada. Ahor<u>a e</u>s pronto.
  A. Gracias.

CAPÍTULO 3 ———————————

4. **Página 20:** a) 1, 2 b) 1, 2 c) 2, 1 d) 1, 2 e) 1, 2 f) 2, 1
g) 1, 2 h) 2, 1 i) 2, 1 j) 1, 2.

5. **Página 20:** 1. huir, 2. mi, 3. irá, 4. lisa.

6. **Página 20:** 1. paisano, 2. diablo, 3. aire, 4. vais, 5. hay,
6. feria, 7. Celia, 8. India.

7. **Página 21:** 1. cual, 2. Laura, 3. agua, 4. guapo,
5. sauna, 6. aula, 7. cuando, 8. auto.

8. **Página 21:** 1. miel, 2. tienda, 3. fiel, 4. treinta, 5. reina,
6. ley, 7. seis, 8. bien.

9. **Página 21:** 1. fuego, 2. Europa, 3. bueno, 4. deuda,
5. cuerpo, 6. seudónimo, 7. muela, 8. Eusebio.

10. **Página 21:** 1. hoy, 2. idioma, 3. soy, 4. patio, 5. indio, 6. gasoil,
7. limpio, 8. oigo.

11. **Página 21:** 1. cuota, 2. mutuo, 3. COU, 4. Salou,
5. bou, 6. antiguo, 7. defectuoso, 8. continuo.

12. **Página 21:** 1. viuda, 2. intuir, 3. ciudadano, 4. triunfo,
5. gratuito, 6. diurno, 7. Luisa, 8. ¡huy!

14. **Página 22:** 1. diptongo, 2. dos sílabas, 3. diptongo,
4. diptongo, 5. diptongo, 6. diptongo, 7. dos sílabas, 8. dos sílabas,
9. dos sílabas, 10. diptongo, 11. dos sílabas, 12. dos sílabas.

15. **Página 23:** a) 1, 2 b) 2, 1 c) 1, 2 d) 2, 1.

17. **Página 23:** a) 1, 2 b) 2, 1 c) 2, 1 d) 1, 2 e) 2, 1 f) 2, 1 g) 1, 2.

18. **Página 24:** 1. ¿y ahora qué? 2. acto legal, 3. fecha limitada,
4. está ahí encima, 5. se va a enterar.

19. **Página 24:** 1. de un lado a otro, 2. entra y sale,
3. billete de ida y vuelta, 4. es hijo único, 5. ¿está aquí ella?
6. para uno es poco.

20. **Página 24:**
  –¿Sabéis l<u>a h</u>ora qu<u>e e</u>s?
  –No será tarde.
  –Las siete dadas. Tú verás.
  Miguel s<u>e i</u>ncorporó.
  –La propi<u>a h</u>ora de coger el tol<u>e y</u> la media mant<u>a y</u> subirnos
  par<u>a a</u>rriba.
  –¿Pues no sabéis qu<u>e h</u>emos tenid<u>o h</u>ast<u>a una</u> peripecia?
  –¿Qu<u>é os</u> ha pasado?
  –Los civiles, que nos pararon ahí detrás –contaba Mely–; que
  por lo visto no pued<u>e una</u> circular como le da la gana. Que me
  pusier<u>a algo</u> por los hombros, el par de mamarrachos.

21. **Página 25:** Vocales iguales: que es, para arriba, que hemos,
pusiera algo. Vocales fuertes: la hora, propia hora, tenido hasta,
qué os. Diptongos: se incorporó, tole y, manta y, hasta una,
puede una.

DIÁLOGO 3: Página 25

A. ¿Qué haces el viernes?

B. Tengo una cita con una amiga.

A. Es que mi hermano organiza una fiesta y te ha invitado.

B. ¿Y mi amiga?

A. Que venga también. No importa.

B. De acuerdo. ¿Y a qué hora empieza?

A. A las once y media.

B. Muy bien. Allí estaremos.

CAPÍTULO 4

2. **Página 26:** 1. envío, 2. Juan, 3. avería, 4. sentía, 5. diario, 6. confió, 7. situó, 8. bahía, 9. acentuó, 10. prohíbe, 11. continuo, 12. prohibir.

3. **Página 27:** 1. mediodía, 2. familia, 3. tranvía, 4. especial, 5. historia, 6. cafetería, 7. cambia, 8. temía.

4. **Página 27:** 1. confío, 2. fotografío, 3. envío, 4. anuncio, 5. auxilio, 6. copio, 7. estadio, 8. vacío.

5. **Página 27:** 1. acentuó, 2. continuo, 3. sonreís, 4. dais, 5. evacuo, 6. púa, 7. estabais, 8. baúl, 9. mío, 10. rehúye, 11. cantasteis, 12. Antonia.

6. **Página 27 :** a) 1, 2 b) 2, 1 c) 1, 2 d) 2, 1 e) 1, 2 f) 1, 2 g) 1, 2 h) 2, 1 i) 1, 2 j) 2, 1.

7. **Página 28:** a) Actúo toda la noche. b) Cambie el coche por uno nuevo. c) Estudié mucho para el examen. d) Hacia las cinco.

8. **Página 28:** 1. sería, 2. sabía, 3. envío, 4. continuó, 5. varías.

9. **Página 28:** 1. marroquíes, 2. tabúes, 3. hindúes, 4. bambúes, 5. síes, 6. iraquíes, 7. úes, 8. zulúes.

10. **Página 29:** a) ley, b) hoy, c) reí, d) huí, e) hay.

11. **Página 29:** a) LABORATORIOS GARCÍA. Productos de farmacia. Zona: Madrid y provincia. b) Empresa del sector HOSPITALARIO necesita ASESOR COMERCIAL. Zona: toda la geografía del país. c) Empresa de PERFUMERÍA precisa vendedora con experiencia. d) Curso 2002-2003. Nuevas carreras: BIOLOGÍA E INGENIERÍA. Colegio Universitario de Andalucía.

13. **Página 30:** 1. fié / fió, 2. guié / guió, 3. lié / lió, 4. pié / pió, 5. crié / crió.

14. **Página 30:** 1. No se fió de él. (3ª persona.) 2. Guié a mi hermano hasta el cine. (1ª persona.) 3. Lió un cigarrillo antes de fumarlo. (3ª persona.) 4. Pié como un pájaro. (1ª persona.) 5. Crió a mi hijo durante dos años. (3ª persona.)

15. **Página 31:** a) 1, 2 b) 2, 1 c) 2, 1 d) 1, 2 e) 2, 1 f) 1, 2 g) 1, 2 h) 2, 1.

16. **Página 31:** 1. Frío, 2. Rió, 3. Guío, 4. Crío, 5. Lió.

18. **Página 32:** 1. una isla abandonada, 2. así es, 3. la última oportunidad, 4. me iba a casa, 5. es una uva pasa, 6. no lo usas bien.

19. **Página 32:** 1. le hizo algo, 2. salí a la calle, 3. no use este servicio, 4. llena esta hucha, 5. lo hice en un día, 6. la una y media, 7. ahora está húmedo, 8. Perú está en América.

20. **Página 32:** a) Ese hijo. b) Párate esto. c) Siesta. d) La una. e) Le hago una. f) Besa bien.

DIÁLOGO 4: Página 33

A: Buenos días, ¿qué va a ser?

B: Quería comer algo, por favor.

A: ¿Le traigo la carta o prefiere el menú?

B: ¿Cuál es el menú?

A: El menú es plato único: paella.

B:. Entonces tomaré sólo una ensalada y de postre uvas.

A: ¿Y para beber?

B: Quiero una cerveza alemana, por favor.

A. Sí, enseguida está todo.

B. Gracias.

CAPÍTULO 5

2. **Página 34:** 1. copiáis, 2. limpiáis, 3. variéis, 4. copiéis, 5. limpiéis, 6. vaciáis, 7. averiéis, 8. vaciéis.

3. **Página 35:** 1. averiguáis, 2. actuáis, 3. graduáis, 4. actuéis, 5. evaluéis, 6. graduéis, 7. averigüéis. 8. evaluáis.

4. **Página 35:** 1. iniciáis, 2. acariciéis, 3. distanciáis, 4. averigüéis.

5. **Página 35:** a) 1, 2 b) 1, 2 c) 2, 1 d) 2, 1 e) 1, 2 f) 2, 1.

7. **Página 36:** 1. sabíais, 2. pondríais, 3. estaríais, 4. veníais, 5. tendríais, 6. daríais, 7. podríais, 8. saltaríais.

8. **Página 36:** 1. criais, criáis, crieis, criéis, 2. fiais, fiáis, fieis, fiéis, 3. guiais, guiáis, guieis, guiéis, 4. liais, liáis, lieis, liéis, 5. piais, piáis, pieis, piéis.

9. **Página 36:** a) 1, 2 b) 1, 2 c) 2, 1 d) 2, 1 e) 2, 1 f) 1, 2.

11. **Página 38:** 1. silencio absoluto, 2. es un sitio especial, 3. vuelve a atarlo, 4. vuelvo a empezar, 5. está dispuesto a obedecer, 6. una antigua escuela.

12. **Página 38:** 1. ha salido airoso, 2. comió albóndigas, 3. viene a escuchar, 4. pídele auxilio, 5. es una lengua extraña, 6. recibió a Eulalia.

13. **Página 38:** a) Decidió ocultarlo. b) Pregunta la hora. c) Añadí azafrán. d) Escribió a Encarna. e) Subí al Teide. f) Va a dorar.

15. **Páginas 39–40:** Una vocal cerrada entre dos abiertas: 5. guapa y alta, 8. mucho hierro. Dos vocales abiertas tónicas: 2. se fue antes, 4. cambió euros, 6. comió algo antes, 7. continué esto. Una vocal tónica al final: 1. para eso ha ido, 3. puente aéreo.

16. **Página 40:** 1. Una sola sílaba. 2. Dos sílabas. 3. Dos sílabas. 4. Una sola sílaba. 5. Dos sílabas. 6. Una sola sílaba.

17. **Página 40:** 1. sintió un dolor, 2. cacao instantáneo.

19. **Página 41:** 1. viejo y arrugado, 2. ¿sale o entra?, 3. comida y habitación, 4. tarde e inútil, 5. fui hasta su oficina, 6. huí en una avioneta.

20. **Página 41:** La noche de difuntos me desperté, a no sé qué hora, el doble de las campanas; su tañido monótono y eterno me trajo a las mientes esta tradición que oí hace poco en Soria.

Intenté dormir de nuevo; ¡imposible! Una vez aguijoneada, la imaginación es un caballo que se desboca, y al que no sirve tirarle de la rienda. Por pasar el rato, me decidí a escribirla como, en efecto, lo hice.

Yo la oí en el mismo lugar en que acaeció, y la he escrito volviendo algunas veces la cabeza, con miedo cuando sentía crujir los cristales de mi balcón.

DIÁLOGO 5: Página 42

A. ¿Ésta es tu casa?

B. Sí, ésta es. ¿Te gusta o es fea?

A. Me encanta. Es muy grande y alegre.

B. Me he instalado hoy.

A. ¿Me la enseñas?

B. Sí, claro. Mira, aquí hay una habitación pequeña y allí la de matrimonio.

A. ¡Qué bonitas las dos!

B. La cocina y el salón están unidos.

A. Está todo muy aprovechado.

B. Ahí está el cuarto de baño y allí la terraza.

A. ¡Es perfecta!

CAPÍTULO 6

5. **Página 44:** 1. ciencia, 2. enfilar, 3. felino, 4. cicatriz,
5. cebra, 6. vencer, 7. elefante, 8. fácil.

7. **Página 45:** a) 1, 2 b) 1, 2 c) 2, 1 d) 1, 2 e) 2, 1 f) 1, 2.

8. **Página 45:** 1. enfadar, 2. zurdo, 3. docena, 4. cazador, 5. difícil,
6. dulce, 7. cielo, 8. pereza, 9. neozelandés, 10. paz.

9. **Página 44:** 1. pieza, 2. danza, 3. ocio, 4. vecino,
5. dulce, 6. suizo, 7. celo, 8. pereza.

10. **Página 45:** 1. cielo, 2. azul, 3. cinco, 4. zapato, 5. catorce,
6. quince, 7. cifra, 8. zumo, 9. cien, 10. abrazo.

11. **Página 46:** 1. emperatrices, 2. actrices, 3. luces, 4. lápices,
5. capaces, 6. andaluces.

12. **Página 46:** 1. nariz, 2. avestruz, 3. incapaz, 4. feliz, 5. barniz,
6. eficaz.

13. **Página 47:** 1. dulzura, 2. audacia, 3. capacidad, 4. eficacia,
5. velocidad, 6. felicidad, 7. tenacidad, 8. complicidad.

14. **Página 47:** 1. ajedrez, 2. lazo, 3. cerveza, 4. caza,
5. pez, 6. lápiz, 7. cruz, 8. pozo.

15. **Página 48:** 1. convenzo, 2. zurzo, 3. tuerzo, 4. venzo, 5. ejerzo,
6. frunzo.

16. **Página 48:** 1. cruce, 2. cace, 3. comience, 4. utilice, 5. empiece,
6. europeíce.

17. **Página 48:** Presente de indicativo. Comenzar: comienzo,
comienzas; utilizar: utilizo, utilizas; lanzar: lanzo, lanzas; rozar:
rozo, rozas; finalizar: finalizo, finalizas. Pretérito indefinido.
Comenzar: comencé, comenzaste; utilizar: utilicé, utilizaste; lanzar:
lancé, lanzaste; rozar: rocé, rozaste; finalizar: finalicé, finalizaste.

18. **Página 49:** 1. cruces, 2. abracé, 3. crucemos, 4. calces, 5. analiza.

20. **Página 50:** 1. inflación, 2. dedicación, 3. discreción,
4. convicción, 5. acción, 6. afición, 7. redacción, 8. selección.

21. **Página 50:** a) Tiene una gran aflicción. b) Es una afición.
c) Aquí no hay adicción. d) Se anuló la infracción. e) Ha hecho
sujeción. f) Intenté una solución.

23. **Página 51:** 1. la vejez empieza pronto, 2. andaluz alegre,
3. un jerez espléndido, 4. una cruz amarilla, 5. Túnez es precioso,
6. Alfredo González Hermoso, 7. una voz horrorosa,
8. tomaré perdiz asada.

24. **Página 51:** 1. actriz y actor, 2. atroz e insoportable, 3. maíz
asado, 4. cada vez es peor, 5. nuez y pasas, 6. juez y alcalde.

25. **Página 51:** a) Es la esencia. b) Accede a ella. c) Haz eso.
d) El cero. e) Hacéis té. f) La ficción. g) La escena. h) Hace luz.

26. **Página 52:** a) Haz zumo. b) Eficacia probada. c) Haz estas.
d) Capaces de amar. e) Hace herraduras. f) Acera.

DIÁLOGO 6: Página 52
A. Hotel La Cruz Ibérica. ¿Dígame?
B. Buenos días. ¿Podría hacer una reserva?
A. ¿Para qué día?
B. Para mañana, doce de diciembre.
A. Muy bien, señora. Pero sólo me queda una habitación
interior con tragaluz en el techo.
B. No importa.
A. ¿Su nombre?
B. Mari Luz Hernández Escobar.
A. ¿Me deja un número de teléfono, por favor?
B. Sí, el cien diez ochenta cero cero.
A. Muchas gracias. Se la reservamos hasta las diez y media.
Feliz estancia.
B. Me parece bien. Hasta mañana.

CAPÍTULO 7

2. **Página 55:** a) peso, b) casa, c) poso, d) puente, e) caso,
f) cuñado.

3. **Página 55:** a) casa / gasa, b) saga / saca, c) gala / cala, d) goma
/ coma, e) placa / plaga, f) toga / toca, g) gol / col, h) vaca / vaga.

5. **Página 55:** a) 1, 2 b) 1, 2 c) 2, 1 d) 2, 1 e) 1, 2 f) 2, 1.

6. **Página 56:** 1. quien, 2. Paco, 3. queso, 4. cual, 5. aquí, 6. kárate,
7. cazar, 8. koala.

7. **Página 56:** 1. cuatro, 2. curioso, 3. quinientos, 4. catorce, 5. cuidado, 6. cúbico, 7. quince, 8. cubano.

8. **Página 56:** Presente de indicativo: quepo, cabes, cabe, cabe-
mos, cabéis, caben. Pretérito indefinido: cupe, cupiste, cupo, cupi-
mos, cupisteis, cupieron.

9. **Página 57:** atacar: ataque, ataques, ataque, ataquemos, ataquéis,
ataquen; arrancar: arranque, arranques, arranque, arranquemos,
arranquéis, arranquen; atascar: atasque, atasques, atasque, atas-
quemos, atasquéis, atasquen; roncar: ronque, ronques, ronque,
ronquemos, ronquéis, ronquen.

10. **Página 57:** 1. Aparqué. 2. Saque, seque. 3. indique. 4. toqué.
5. pesque.

11. **Página 57:** 1. ataque, 2. arranque, 3. acerque, 4. choque,
5. evoque, 6. invoque, 7. edifique, 8. equivoque.

12. **Página 58:** 1. identifico: identifique, 2. busco: busque, 3. fabrico:
fabrique, 4. comunico: comunique, 5. destaco: destaque, 6.
educo: eduque, 7. dedico: dedique, 8. justifico: justifique.

14. **Página 59:** a) actor / acción, b) lector / lección, c) selecto /
selección, d) dictado / dicción, e) electo / elección, f) tractor /
tracción, g) perfecto / perfección, h) ficticio / ficción.

16. **Página 59:** 1. leí un cómic interesante, 2. hace aeróbic y gimnasia, 3. tiene un tictac insoportable, 4. el gatillo hizo un clic apa-
gado, 5. Federica tiene chic y encanto.

DIÁLOGO 7: Página 60
A. Voy a ir al súper ¿quieres algo?
B. ¿Qué vas a comprar?
A. Queso, crema de cacao y un kilo de kiwis.
B. Cómprame un bistec y una botella de coñac inglés.
A. Lo que es inglés es el whisky. El coñac es francés.
B. Bueno, es igual.
A. ¿Algo más?
B. Sí, también necesitaré un bloc o un cuaderno para mi clase
de español.
A. ¿De qué color?
B. No sé, de un color chic.
A. ¿Eso es todo?
B. ¡Ah! Si pasas por el kiosco tráeme un cómic en blanco y
negro.
A. Mira, ¿sabes qué? Te pones el anorak y vas tú a hacer la
compra.
B. Vaya, ya se enfadó.

3. **Página 63:** a) callo, b) quiso, c) gana, d) gol, e) gorra, f) coma.

4. **Página 63:** a) Es muy ambiguo. b) La testigo. c) Es un coloso.
d) Dale una gasa. e) He dicho gaucho.

5. **Página 63:** a) gato, b) gasa, c) grano, d) gana, e) grajo,
f) Granada.

6. **Página 64:** a) 2, 1 b) 1, 2 c) 2, 1 d) 1, 2 e) 2, 1 f) 2, 1.

8. **Página 64:** 1. dato. 2. lago 3. guía. 4. venga.

9. **Página 64:** 1. vergüenza, 2. distinguís, 3. pingüino, 4. pague,
5. sigo, 6. juego, 7. cuelgue, 8. guiar.

13. **Página 66:** 1. antigüedad, 2. vaguedad, 3. ceguera, 4. largura,
5. amargura, 6. contigüidad, 7. despegue, 8. Nicaragua.

Fonética, entonación y ortografía

14. **Página 67:** 1. lengua, 2. agua, 3. bodega, 4. espárrago, 5. huelga, 6. juerga, 7. mango.

15. **Página 67:** 1. delegue, 2. halague, 3. dialogue, 4. divulgue, 5. prodigue, 6. ahogue, 7. castigue, 8. intrigue.

16. **Página 68:** 1. pagó, 2. agregó, 3. apagó, 4. divulgó, 5. castigó, 6. despegó, 7. indagó, 8. rasgó, 9. recargó, 10. tragó.

17. **Página 68:** 1. distingo, distingues, 2. sigo, sigues, 3. consigo, consigues, 4. prosigo, prosigues, 5. persigo, persigues.

18. **Página 68:** 1. averigüe, 2. amortigüe, 3. apacigüemos, 4. santigüen, 5. atestigüe.

DIÁLOGO 8: Página 69

A. Oiga, ¿me permite unas preguntas?
B. Diga.
A. ¿Le gusta el cine español?
B. Sí, es magnífico, cada vez es mejor.
A. ¿Le gusta algún actor o actriz en especial?
B. Me gustan Penélope Cruz y Antonio Banderas.
A. Gracias.

***

A. Oiga, ¿tiene un segundo?
B. Dígame.
A. ¿Le gusta el cine que se hace en España?
B. No.
A. ¿Por qué?
B. Porque es muy aburrido, no tiene gracia. No hay acción.
A. Muchas gracias.

CAPÍTULO 9

4. **Página 71:** 1. coco, 2. baja, 3. roja, 4. cojo, 5. jarro, 6. carro, 7. vaca, 8. roca.

5. **Página 71:** a) jugar / fugar, b) juego / fuego, c) rifa / rija, d) magia / mafia, e) Rafa / raja, f) fusta / justa.

6. **Página 72:** a) caza, b) raja, c) rojo, d) mazo, e) mozo, f) dice, g) coger, h) reja, i) bajo.

7. **Página 72:** 1. caja, 2. cosidos, 3. mejilla, 4. ojos, 5. roja.

8. **Página 72:** a) 2, 1 b) 2, 1 c) 2, 1 d) 1, 2 e) 2, 1, f) 1, 2.

9. **Página 73:** El extranjero llegó sin aliento a la estación desierta. Su gran valija, que nadie quiso cargar, le había fatigado en extremo. Se enjugó el rostro con un pañuelo, y con la mano en visera miró los rieles que se perdían en el horizonte. Desalentado y pensativo, consultó su reloj: la hora justa en que el tren debía partir.

Alguien, salido de quién sabe dónde, le dio una palmada muy suave. Al volverse, el extranjero se halló ante un viejecillo de vago aspecto ferrocarrilero. Llevaba en la mano una linterna roja, pero tan pequeña, que parecía un juguete. Miró sonriendo al viajero.

10. **Página 73:** 1. coger: cojo, cogí, cogeré; 2. corregir: corrijo, corregí, corregiré; 3. dirigir: dirijo, dirigí, dirigiré; 4. proteger: protejo, protegí, protegeré; 5. fingir: finjo, fingí, fingiré; 6. acoger: acojo, acogí, acogeré; 7. tejer: tejo, tejí, tejeré; 8. crujir: crujo, crují, crujiré.

11. **Página 74:** 1. proteger, 2. corregir, 3. fingir, 4. tejer, 5. elegir, 6. dirigir, 7. crujir.

12. **Página 74:** Jaime llevó a su hijo Jesús a la feria al salir del colegio. El niño llegó con ganas de probar todas las atracciones. Pero lo que más le gustó fue el viaje en el tren de la bruja. Eligió un vagón de color rojo y se subió dispuesto a introducirse en un mundo de magia. Cada vez que la bruja le pegaba con la escoba, Jesús se quejaba riendo y se protegía con las manos, bajando la cabeza.

CAPÍTULO 10

2. **Página 77:** a) ermita, b) pereces, c) parte, d) marcas, e) parado, f) Teresa.

6. **Página 78:** a) ahora, b) cero, c) para, d) carreta, e) corral, f) perra, g) caro, h) coro, i) pero.

7. **Página 78:** 1. torre, 2. adorno, 3. cara, 4. barrera, 5. raro, 6. roto, 7. arrepentirse, 8. horroroso.

8. **Página 78:** El perro de Rosa y Roque no tiene rabo porque Ramón Ramírez se lo ha cortado.

10. **Página 79:** 1. sarta, 2. absorber, 3. arma, 4. alma, 5. salta, 6. cardo, 7. absolver, 8. caldo.

11. **Página 79:** a) suelo / suero, b) palo / paro, c) para / pala, d) muro / mulo, e) polo / poro, f) cara / cala.

12. **Página 79:** Fue tan grande mi impresión, que volví el vaso a la mesa sin llegar a probarlo. Resulta extraño, Davicito, lo que por mí pasó en aquel momento. Era algo así como si, de repente, mi vida actual se conectase con otra vida anterior mía. Raro, ¿verdad?

14. **Página 80:** a) 2, 1 b) 1, 2 c) 2, 1 d) 2, 1 e) 2, 1 f) 1, 2.

15. **Página 80:** Jorge el cerrajero vende cerrajes en la cerrajería.

16. **Página 80:** a) No es todo importante. b) En cada uno de nosotros. c) Está a la moda. d) Duda demasiado. e) Mira con cuidado. f) Le falló el coro.

17. **Página 81:** 1. contra + reloj: contrarreloj, 2. auto + retrato: autorretrato, 3. radio + receptor: radiorreceptor, 4. vice + rector: vicerrector, 5. guarda + ropa: guardarropa, 6. turbo + reactor: turborreactor, 7. mono + raíl: monorraíl, 8. peli + rojo: pelirrojo.

18. **Página 81:** 1. irreal, 2. irresistible, 3. irrompible, 4. irreflexivo, 5. irrecuperable, 6. irreversible, 7. irresponsable, 8. irracional.

20. **Página 82:** 1. ser coser y cantar, 2. dar un paso en falso, 3. salir rana, 4. echar el resto, 5. erre que erre, 6. por amor al arte, 7. ver el cielo abierto, 8. ir hecho un pincel, 9. tener entre ceja y ceja, 10. pagar a toca teja.

21. **Página 83:** 1. ¿azúcar o sal?, 2. jugar a la oca, 3. sudor y lágrimas, 4. crear una historia, 5. clasificador rojo, 6. el sur existe.

22. **Página 83:** a) 2, 1 b) 1, 2 c) 2, 1 d) 1, 2 e) 2, 1 f) 2, 1.

DIÁLOGO 10: Página 84

A. ¿Desea comprar algo, señor?
B. Sí, una camisa.
A. ¿Ha pensado en algún color en especial?
B. No sé. A lo mejor azul o marrón.
A. Muy bien. Por favor espere aquí un momento.

***

A. ¿Le gusta esta azul?
B. Me encanta. ¿Puedo ir al probador?
A. Sí, el probador es por aquí.
B. Gracias.
A. ¿Qué tal?
B. Me queda algo pequeña. ¿Me deja ver una marrón?
A. Sí, le queda mejor esta.
B. De acuerdo. Me la quedo.
A. ¿Con tarjeta?
B. No, voy a pagar en efectivo.

CAPÍTULO 11

3. **Página 86:** a) par, b) pata, c) boca, d) barra, e) velo, f) vez, g) vaso, h) pesa, i) vino, j) paño, k) pago, l) pista.

4. **Página 86:** 1. cava, 2. Japón, 3. sube, 4. capa, 5. jabón, 6. supe, 7. ropa, 8. roba.

5. **Página 86:** 1. Japón, lava, jabón, 2. cebo, roba, 3. supe, cava.

7. **Página 87:** a) 1, 2 b) 2, 1 c) 1, 2 d) 2, 1 e) 2, 1 f) 1, 2 g) 1, 2 h) 2, 1 i) 2, 1.

8. **Página 87:** a) No abre a nadie. b) Es mejor si se brinda. c) Esta brilla. d) He visto cómo tiembla. e) Esta se subleva. f) Háblale a cualquiera.

9. **Página 87:** a) Es una obsesión. b) Esto él lo consiente. c) Tenía que absorber. d) Para no tener nada. e) Es subdirector. f) Está suelta.

10. **Página 88:** 1. adverbio, 2. wolframio, 3. salvavidas, 4. barba, 5. devolver, 6. noviembre, 7 weberio, 8. vocabulario.

11. **Página 88:** 1. haber, 2. a ver, 3. A ver, 4. haber, 5. a ver.

14. **Página 89:** 1. absurdo, 2. abdomen, 3. aptitud, 4. óptica, 5. opcional, 6. obstinada, 7. reptar, 8. obstruir.

15. **Página 89:** 1. andar: anduve, anduviera o anduviese; 2. estar: estuve, estuviera o estuviese; 3. tener: tuve, tuviera o tuviese; 4. contener: contuve, contuviera o contuviese; 5. abstener: abstuve, abstuviera o abstuviese; 6. retener: retuve, retuviera o retuviese; 7. sostener: sostuve, sostuviera o sostuviese; 8. haber: hube, hubiera o hubiese.

16. **Página 90:** 1. mantuvieron, 2. obtuviera / obtuviese, 3. entretuve, 4. detuviera / detuviese.

17. **Página 91:** 1. grabadas, 2. grapadas, 3. turbo, 4. tubo, 5. parón, 6. varón, 7. con vino, 8. con pino.

CAPÍTULO 12

2. **Página 93:** a) ocho, b) mecha, c) checo, d) peso, e) mucha, f) chilla, g) cachas, h) salado, i) mansa.

3. **Página 94:** a) mayo / macho, b) haya / hacha, c) hoyo / ocho, d) leches / leyes, e) raya / racha, f) cayo / cacho.

4. **Página 94:** a) Ya se echó la carta. b) Toma y súbete. c) Se acerca un chubasco. d) No existe. e) Un poco sí quito. f) Hay una chivata.

6. **Página 95:** 1. cuchillo, 2. charco, 3. cachete, 4. carricoche, 5. cartucho, 6. chinchilla, 7. ceviche, 8. cinchar, 9. lancha, 10. plancha, 11. chimenea, 12. poncho.

7. **Página 95:** 1. cachete, 2. carricoche, 3. cartucho, 4. ceviche, 5. charco, 6. chimenea, 7. chinchilla, 8. cinchar, 9. cuchillo, 10. lancha, 11. plancha, 12. poncho.

9. **Página 96:** 1. deshielo, 2. deshabitar, 3. inhábil, 4. deshonrar, 5. desheredar, 6. deshonesto, 7. inhumano, 8. inhabitable.

10. **Página 96:** 1. hache, 2. cachivache, 3. cuchicheo, 4. helecho, 5. hinchado, 6. noche, 7. hecho, 8. abrochar.

11. **Página 97:** 1. Por mucho que valga un hombre nunca tendrá valor más alto que el de ser hombre. 2. Cada cual es como Dios le ha hecho, pero llega a ser como él mismo se hace. 3. Cuanto más honrado es un hombre, más le cuesta sospechar que los otros no lo sean.

12. **Página 97:** 1. Antes de hacer nada, consúltalo con la almohada. 2. Huéspedes vinieron y señores se hicieron. 3. En casa del ahorcado no hay que nombrar la soga. 4. Cosa hallada no es hurtada. 5. De tu hijo espera lo que con tu padre hicieras. 6. Donde no hay sustancia no hay ganancia.

13. **Página 97:** 1. aquí hay de todo, 2. por ahí estará, 3. lo hizo mi hermano, 4. me ha hecho eso, 5. voy hoy, 6. no ha dicho ni hola.

14. **Página 98:** 1. haría, 2. habría, 3. ala, 4. sala, 5. echo, 6. hecho, 7. vaya, 8. haya.

15. **Página 99:** a) 1, 2 b) 1, 2 c) 2, 1 d) 1, 2 e) 2, 1 f) 1, 2.

CAPÍTULO 13

3. **Página 102:** a) La mar y el cielo. b) ¿Por qué vas con flechas? c) La hora meridional. d) Sentirlo hacer. e) Es de plata. f) Hombre eslavo.

4. **Página 102:** a) 2, 1 b) 2, 1 c) 1, 2 d) 1, 2 e) 2, 1 f) 2, 1 g) 2, 1 h) 1, 2 i) 2, 1.

5. **Página 102:** 1. acalorado, 2. oráculo, 3. aclarado, 4. óleo, 5. laurel, 6. lirio, 7. lirismo, 8. alirón, 9. paralelo, 10. volar.

6. **Página 103:** Sobre el corazón un ancla y sobre el ancla una estrella y sobre la estrella el viento y sobre el viento la vela.

7. **Página 103:** a) lado, b) malo, c) cola, d) bola, e) bala, f) tala, g) sola, h) aliso, i) pala, j) luna, k) cala, l) lucho.

9. **Página 104:** 1. el escrito y el oral, 2. la ida y a la vuelta, 3. el ideal español, 4. personal e intransferible, 5. vi un documental en televisión, 6. un local en Lugo, 7. al este del Edén, 8. el final es malo, 9. yogur natural azucarado, 10. le puse el cascabel al animal.

10. **Página 104:** 1. sal a la hora, 2. tal y como es, 3. el léxico español, 4. es un fiel amigo, 5. dura unas mil horas, 6. es un fósil europeo, 7. caracol al sol.

11. **Página 104:** a) 1, 2 b) 2, 1 c) 1, 2 d) 2, 1 e) 1, 2 f) 2, 1 g) 2, 1 h) 2, 1.

DIÁLOGO 13: Página 105

A. Buenas tardes, doctora. Me llamo Pascual Alonso.
B. Dígame, ¿qué le pasa?
A. Verá: tengo manchas en la piel y por todo el cuerpo.
B. Déjeme ver. ¿Le duele?
A. Sí, me siento mal en general.
B. ¿Ha tomado el sol últimamente?
A. No, pero soy albañil y algo me da.
B. ¿Bebe alcohol o fuma?
A. No fumo. Pero alcohol lo normal: una copa en las comidas.
B. Tendré que mandarlo al hospital en seguida.
A. ¿Por qué? ¿Cuál es el problema?
B. No me gusta el aspecto que tiene. Le pediré un análisis general.

CAPÍTULO 14

3. **Página 107:** a) enrolló, b) pollo, c) legar, d) olla, e) bolo, f) llana, g) calar, h) allá, i) loro.

4. **Página 107:** 1. muelle, 2. cuello, 3. callo, 4. lima, 5. malla, 6. pilla, 7. pelo, 8. pila, 9. pollo, 10. llama.

5. **Página 107:** 1. vara, 2. era, 3. callo, 4. milla, 5. ralla, 6. rara, 7. cuero, 8. caro, 9. mira, 10. valla, 11. ella, 12. cuello.

6. **Página 107:** a) 2, 1 b) 2, 1 c) 1, 2 d) 1, 2 e) 2, 1 f) 1, 2 g) 1, 2 h) 1, 2 i) 2, 1.

7. **Página 108:** 1. polo, 2. vara, 3. talla, 4. bollo.

8. **Página 108:** a) bache / valle, b) echa / ella, c) racha / ralla, d) facha / falla, e) talla / tacha, f) halla / hacha.

9. **Página 108:** a) No hay gachas. b) Los va a pillar. c) Échale la culpa a él. d) Se enroló en el último momento. e) Se le rompió el tarro. f) No ha hecho mella.

10. **Página 109:** 1. ladrillo, 2. lívido, 3. llaga, 4. llave, 5. llevar, 6. librillo, 7. lluvia, 8. lentilla, 9. lazarillo, 10. llovizna.

11. **Página 109:** 1. ladrillo, 2. lazarillo, 3. lentilla, 4. librillo, 5. lívido, 6. llaga, 7. llave, 8. llevar, 9. llovizna, 10. lluvia.

14. **Página 110:** 1. hiedra, 2. mayores, 3. lleno, 4. guayaba, 5. llave, 6. deshielo, 7. hierro, 8. tallo, 9. hierba, 10. yace.

15. **Página 110:** a) cacho, b) leyes, c) mayo, d) yema e) hacha, f) racha, g) ocho, h) pocho.

18. **Página 111:** a) hoy / oí, b) reí / rey, c) ley / leí, d) hay / ahí.

19. **Página 111:** 1. agua y yeso, 2. voy a leer, 3. hay yema de huevo, 4. me reí yo, 5. se ha hecho hielo, 6. vitamina y hierro, 7. hoy estoy en Paraguay, 8. esplendor en la hierba.

20. **Página 111:** a) ¡Ya vale! b) Haya paz. c) Buey enfermo. d) Era alto, pero llano. e) ¿Hoy es fiesta? f) Estaba lloviendo.

21. **Página 112:** 1. caer: cayeron / cayera o cayese / cayendo; 2. concluir: concluyeron / concluyera o concluyese / concluyendo;

225

3. argüir: arguyeron / arguyera o arguyese / arguyendo; 4. decaer: decayeron / decayera o decayese / decayendo; 5. creer: creyeron / creyera o creyese / creyendo; 6. poseer: poseyeron / poseyera o poseyese / poseyendo; 7. influir: influyeron / influyera o influyese / influyendo; 8. atribuir: atribuyeron / atribuyera o atribuyese / atribuyendo; 9. excluir: excluyeron / excluyera o excluyese / excluyendo; 10. proveer: proveyeron / proveyera o proveyese / proveyendo.

22. **Página 112:** Estaba muy oscuro y tenía miedo. De repente oyó unas voces extrañas detrás de ella. Se giró y vio a un grupo de personas vestidas de negro. Iban hacia ella y creyó que querían hacerle daño. Huyó a toda velocidad, pero se cayó por unas escaleras que estaban construyendo.

23. **Página 113:** a) 2, 1 b) 2, 1 c) 1, 2 d) 1, 2 e) 2, 1 f) 2, 1 g) 1, 2 h) 1, 2 i) 1, 2 j) 2, 1.

CAPÍTULO 15

3. **Página 116:** a) 1, 2 b) 2, 1 c) 1, 2 d) 2, 1) e) 1, 2 f) 2, 1.

4. **Página 116:** 1. enamorar, 2. margen, 3. hermano, 4. camerino, 5. ultimátum, 6. mexicano, 7. amablemente, 8. referéndum.

5. **Página 116:** a) muevo, b) manar, c) tono, d) rama, e) amo, f) cama, g) cono, h) mi, i) nata.

6. **Página 116:** Cuando cuentas cuentos nunca cuentas cuántos cuentos cuentas, porque cuando cuentas cuentos siempre cuentas menos cuentos de cuantos cuentos cuentas.

7. **Página 117:** a) malo / mano, b) sana / sala, c) cala / cana, d) fila / fina, e) nado / lado, f) bueno / vuelo.

8. **Página 117:** 1. nieta, 2. modo, 3. doble, 4. nardo, 5. opino.

9. **Página 117:** 1. incorrecto, 2. imposible, 3. imborrable, 4. impaciente, 5. imperfecto, 6. involuntario, 7. inexacto, 8. imbatible, 9. impar, 10. informal.

10. **Página 117:** 1. cambio, 2. invierno, 3. acampar, 4. siempre, 5. envolver, 6. tranvía, 7. invadido, 8. símbolo.

12. **Página 118:** 1. conmigo, 2. indemne, 3. innecesario, 4. conmover, 5. inmediato, 6. calumnia 7. enmarcar, 8. indemnizar, 9. gimnasia, 10. ennegrecer.

13. **Página 118:** a) Debe constar lo que hemos dicho. b) Creo que fui sensato. c) Quedó un instante. d) No estoy satisfecho. e) Se ve más claro en la instancia. f) Saqué casi insuficiente.

15. **Página 119:** 1. en un gran agujero, 2. pilotan un avión, 3. pon eso en otro sitio, 4. a imagen y semejanza, 5. ¿quién es?, 6. con el corazón a cien, 7. tienen un currículum actualizado, 8. piden algún ayudante, 9. ¿son esos tan altos?, 10. joven y bien educado.

16. **Página 120:** 1. un examen escrito, 2. vienen sin nada, 3. ¿me dan algún ejemplo?, 4. vieron a alguien en tu casa, 5. están aquí otra vez, 6. una pasión amorosa.

17. **Página 120:** a) 1, 2 b) 2, 1 c) 1, 2 d) 1, 2 e) 2, 1 f) 1, 2 g) 2, 1 h) 2, 1.

18. **Página 121:** 1. su entorno, tan bien, 2. quienquiera, 3. sinfín, sin sabor.

DIÁLOGO 15: Página 121

A. Mira, allí están Eva y Carmen.

B. Sí. ¡Son unas chicas tan encantadoras!

A. Para mí son horribles.

B. ¿Pero qué dices? A mí me gustan ambas. ¡Qué guapas vienen hoy!

A. Pues creo que ellas prefieren a Ramón. Van a su lado y lo miran entusiasmadas.

B. Ramón no es rival. Ten en cuenta que es joven e inexperto.

A. Sí, pero ellas ya le han elegido.

B. ¿De quién hablas?

A. ¿De quién hablo? De Ramón. Están enamoradas de él. ¿No lo ves?

B. Las chicas no saben nada de hombres. Viven en otro mundo.

A. Ya, pero se fijan en los más guapos.

B. Bueno, te dejo. Tengo un examen a la una.

A. Hasta luego, don Juan.

CAPÍTULO 16

2. **Página 124:** 1. mayo, 2. baña, 3. uña, 4. ayo, 5. año, 6. huya, 7. caño, 8. vaya, 9. cayo, 10. maño.

3. **Página 125:** a) piña, b) villa, c) callada, d) caña, e) valle, f) uña.

4. **Página 125:** 1. vaya, 2. caño, 3. malla, 4. uña, 5. ayo.

6. **Página 125:** a) No me engañes. b) No le ponga escucha. c) Pon empeño. d) Trae leña.

7. **Página 126:** a) 2, 1 b) 1, 2 c) 1, 2 d) 2, 1 e) 1, 2 f) 2, 1.

8. **Página 126:** 1. eñe / ene, 2. mano / maño, 3. peña / pena, 4. sueño / sueno, 5. ordeñar / ordenar, 6. cuña / cuna, 7. mono / moño, 8. sonar / soñar, 9. una / uña, 10. campana / campaña.

10. **Página 126:** 1. panameño, 2. mañana, 3. niña, 4. norteño, 5. empañar, 6. montaña, 7. enseñar, 8. compañero.

11. **Página 127:** a) Minio. b) El del moño. c) Este milenio. d) Aluminio. e) Me hace daño. f) Hazle una carantoña.

12. **Página 127:** 1. armonio, 2. caño, 3. Antonio, 4. norteño, 5. junio, 6. ingenio, 7. genio, 8. sueño, 9. geranio, 10. ordeño, 11. milenio, 12. rebaño, 13. testimonio, 14. armiño, 15. titanio.

13. **Página 127:** En junio empezaban las vacaciones y mi sueño era pasar el mes en casa de la tía Antonia. Como cada año, allí volvía a encontrarme con mis compañeros de aventuras.

CAPÍTULO 17

3. **Página 129:** a) 1, 2 b) 2, 1 c) 1, 2 d) 1, 2 e) 2, 1 f) 1, 2 g) 1, 2 h) 1, 2 i) 2, 1 j) 1, 2 k) 1, 2 l) 2, 1.

4. **Página 129:** 1. votado, 2. delta, 3. atado, 4. tapadera, 5. distinto, 6. destino, 7. contenta, 8. delante.

5. **Página 129:** a) Metió todo. b) Para atar al perro. c) No me das miedo. d) Dudas demasiado. e) Nos da aquí. f) Esto es dar demasiado sueldo.

6. **Página 130:** 1. drama / trama / dama, 2. cetro / cedo / cedro, 3. daga / draga / traga, 4. meto / metro / medro.

7. **Página 130:** Treinta y tres tramos de troncos trozaron tres tristes trozadores de troncos y triplicaron su trabajo, triplicando su trabajo de trozar troncos y troncos.

8. **Página 130:** 1. lado, 2. mozo, 3. ceja, 4. moda, 5. vendo.

9. **Página 130:** a) Se quitó la toga. b) Aquí sí dan la luz. c) Que esté tumbado. d) Me presentó amigos.

10. **Página 131:** a) cara, b) dudo, c) ira, d) miro, e) podo, f) cedo, g) hora, h) lodo, i) parecer, j) todo.

11. **Página 131:** 1. carro, 2. cose, 3. Tomo, 4. temo, 5. quinto.

14. **Página 132 :** a) parez, b) virtú, c) libertat, d) amistad, e) ciudaz.

15. **Página 132:** a) Cantad una canción. b) Venid a vernos. c) Salir adelante. d) Oíd lo que os digo. e) Tomar el tren. f) Sacad al perro.

16. **Página 132:** 1. longitud, 2. incapaz, 3. suciedad, 4. sanidad, 5. emperatriz, 6. andaluz, 7. timidez 8. huésped.

18. **Página 133:** 1. dejado, 2. estudiao, 3. pensado, 4. cansao, 5. salado, 6. contado, 7. callao, 8. tumbao.

19. **Página 134:**

NOVIA.– Tome, madre: un periódico mejicano que me he encontrao esta mañana en el taller. Se lo he guardao a usté porque trae crimen.

MADRE.– ¿Que trae crimen?

NOVIA.– Entero y con tos los detalles.

MADRE.– ¡Qué alegría me das! Porque como desde hace una porción de tiempo los periódicos nuestros no traen crímenes, se me va a olvidar el leer. ¿Dónde está el crimen? Esto debe de ser... "Tranviario muerto por un senador."

NOVIA.– Esto no es, madre. Eso son ecos de sociedá. El crimen está más abajo.

21. **Página 135:** 1. es propiedad de mi hijo, 2. capacidad de actuar, 3. es de una calidad especial, 4. red de autopistas, 5. leed un libro, 6. hay una posibilidad entre ocho, 7. la felicidad infinita, 8. la totalidad de los presentes, 9. de Madrid al cielo, 10. id deprisa.

22. **Página 135:** 1. ¿usted hace algo especial?, 2. tomad y comed esto, 3. dejad en paz al abuelo, 4. salid de ahí en seguida, 5. pensad un poco antes, 6. subid al tejado.

23. **Página 135:** a) 1, 2 b) 2, 1 c) 1, 2 d) 1, 2 e) 2, 1 f) 1, 2.

DIÁLOGO 17: Página 136

A. ¡Coged el teléfono!
    La verdad es que tengo que hacerlo yo todo. ¿Dígame?

B. ¿Están David o Teresa?

A. Un momento, por favor. ¡David, es para ti! ¡Teresa! ¡Abrid esa puerta, que yo estoy al teléfono! ¡David! Id a abrir, hombre. ¿Usted ha visto? En este piso vive una multitud de gente y parece que estoy solo. No cuelgue, por favor.
    ¡Ah! David y Teresa. Creí que estabais en casa. Pasad y coged el teléfono.

C. ¿Quién es?

A. ¡Yo qué sé!

D. Han colgao. ¿No te ha dicho quién era?

A. No, no me lo ha dicho.

C. Te noto un poco alterao, ¿no?

A. Será que no soporto la soledad del hogar. ¡Anda ya!

CAPÍTULO 18

3. **Página 138:** a) bala, b) convulsa, c) villa, d) pan, e) cava, f) beca, g) peso, h) pió, i) cupo.

4. **Página 138:** a) poda / moda, b) trapo / tramo, c) copa / coma d) puerto / muerto, e) pupa / puma, f) quepa / quema.

5. **Página 138:** 1. tinta, 2. tino, 3. trapo, 4. pinta, 5. poco, 6. pino, 7. mapa, 8. trato, 9. toco, 10. mata.

6. **Página 138:** a) 1, 2 b) 2, 1 c) 1, 2 d) 2, 1 e) 2, 1 f) 1, 2 g) 2, 1 h) 1, 2 i) 2, 1.

7. **Página 139:** a) Llévelo a la pista. b) Vimos el puerto. c) Ha sido becado. d) Es de corte tradicional. e) ¡Qué miel más suave! f) Sepa esto.

8. **Página 139:** 1. aplazar, 2. templado, 3. desprecio, 4. capricho, 5. simple, 6. pluma, 7. prudencia, 8. pradera.

9. **Página 139:** a) Braga, b) plomo, c) pluma, d) pan.

10. **Página 139:** a) Antes de abrir la pesa. b) Poblaron la zona. c) Busca el botón de la blusa. d) Ya no hay prisa. e) Primero sopla. f) En plena comida.

11. **Página 140:** 1. abdicar, 2. cápsula, 3. recepción, 4. diptongo, 5. obtener, 6. eclipse, 7. obstinado, 8. recepción.

12. **Página 140:** a) septiembre, b) sétimo, c) subscriptores, d) séptimo, e) setiembre.

CAPÍTULO 19

2. **Página 142:** a) pavor, b) cofia, c) presa, d) confuso, e) fino, f) fuente, g) fila, h) espera, i) pía, j) flato, k) paz, l) faro.

4. **Página 143:** 1. aceite, 2. afeite, 3. café, 4. cacé, 5. ce, 6. riza,

7. rifa, 8. moza.

5. **Página 143:** 1. clan, 2. lea, 3. pozo, 4. fuego, 5. pueda.

6. **Página 143:** a) Es como estar en invierno. b) No tiene fe. c) En efecto. d) A fuego lento. e) Ése es todo su afán. f) Se divertía con el fuego. g) Se lo rizaron. h) No es mi piel.

7. **Página 144:** a) 1, 2 b) 1, 2 c) 2, 1 d) 1, 2 e) 2, 1 f) 2, 1.

8. **Página 144:** a) frío / fío, b) faca / flaca, c) fase / frase, d) flama / fama, e) fractura / factura, f) inflame / infame, g) fecha / flecha, h) fría / fía.

DIÁLOGO 19: Página 144

A. Me han dicho que hay una fiesta.

B. En casa de Fermín, ¿no?

A. ¿Qué Fermín?

B. Ese chico tan fino que se sienta en la primera fila en clase.

A. No caigo.

B. Sí, hombre, el feo de las gafas.

A. ¡Ah, sí! Hija, no es tan feo. Es un poco fofo, pero nada más.

B. Pues a mí no me gusta. Yo estoy fascinada con Félix, es un tío fantástico.

A. ¿Tan fenomenal como Fabián?

B. Bueno, quizá no tanto. La verdad es que Fabián es el mejor.

A. Y nos olvidamos de Fernando.

B. Pero al final, la fiesta ¿dónde es?

A. En casa de Fátima.

B. ¿Y quiénes van?

A. Sólo chicas.

B. ¿Y para eso tanto rollo?

CAPÍTULO 20

3. **Página 147:** a) 1, 2 b) 2, 1 c) 1, 2 d) 1, 2 e) 2, 1 f) 2, 1 g) 1, 2 h) 2, 1 i) 1, 2 j) 2, 1 k) 1, 2 l) 2, 1.

4. **Página 147:** 1. sustancias, 2. acusación, 3. sucios, 4. suscripción, 5. sucesión, 6. seiscientos, 7. suposición, 8. oscilación.

5. **Página 147:** a) A una sígala. b) Ahora se entra por aquí. c) Es de Teresa. d) Lo sentimos. e) ¿Es cera buena? f) Hazlo si miento.

6. **Página 147:** a) coger / coser, b) masa / maja, c) ojo / oso, d) cesa / ceja, e) caja / casa, f) vaso / bajo, g) aso / ajo, h) quejo / queso.

7. **Página 148:** a) Ponte un chal. b) ¡Que soy yo! c) ¡Qué chivato! d) Está un poco chalado. e) Lo chupo todo. f) Agarra el asa.

9. **Página 148:** 1. Unos saben lo que saben y otros saben lo que hacen. 2. Entre dos amigos, un notario y un testigo. 3. A palabras necias oídos sordos. 4. Acércate a los buenos y serás uno de ellos. 5. Unos nacen con estrella y otros estrellados. 6. El más roto y descosido le pone faltas al bien vestido.

10. **Página 149:** 1. esas son palabras mayores, 2. manos a la obra, 3. a buenas horas, 4. de buenas a primeras, 5. más sordo que una tapia, 6. tener las espaldas anchas.

11. **Página 149:** a) 1, 2 b) 1, 2 c) 2, 1 d) 1, 2 e) 2, 1 f) 2, 1 g) 1,2 h) 2, 1 i) 1, 2 j) 2, 1 k) 1, 2 l) 1, 2.

Las siguientes expresiones no se pueden distinguir: a) es así / esa sí, f) ha sobrado / has obrado y g) es ahí / esa i.

12. **Página 150:** a) No has hervido la sopa. b) Abrió las dos alas. c) Creo que tú no has sido. d) Esta tela es útil. e) Esa sí me la llevo. f) La saltas y pasas.

DIÁLOGO 20: Página 150

A. Cariño, ¿salimos esta noche?

B. ¿Y dónde podemos ir?

A. ¿Vamos al teatro?

B. ¿Pero has sacado las entradas?

227

A. No.

B. Entonces es un poco difícil que encontremos entradas.

A. Pues es igual. Vamos a otro sitio. ¿Has ido a las salas de cine nuevas?

B. ¿De cuáles hablas?

A. De esas enormes abiertas en el parque de atracciones.

B. ¡Ah! Esas sí las he visto ya. Pero están algo lejos y además son incómodas.

A. ¿Pero tú quieres salir o no?

B. Quizás otro día, ¿vale? Estoy un poco cansada.

A. Tú estás siempre cansada. ¡Qué mujer más animada tengo!

CAPÍTULO 21

3. **Página 152:** 1. extravagante, 2. éxito, 3. extraordinario, 4. espectador, 5. exacto, 6. excelente, 7. estructura, 8. escenario.

4. **Página 152:** 1. exquisito, 2. exposición, 3. exceso, 4. excursión, 5. existencia, 6. sintaxis, 7. expulsar, 8. asfixiar.

5. **Página 152:** 1. exposición, espléndida, 2. sexto, explanada, 3. explicar, experimento, espectacular, 4. extraterrestres, galaxias. 5. exagero, examen, excepcional.

6. **Página 152:** a) Ese es tenso. b) No exalto. c) Es excéntrico. d) No es culpa de nadie. e) Esto exponen. f) Expuesta en público. g) No es cita. h) Ya hay conexión.

7. **Página 153:** a) 2, 1 b) 2, 1 c) 1, 2 d) 2, 1 e) 1, 2 f) 2, 1.

DIÁLOGO 21: Página 154

A. Te noto un poco nerviosa.

B. Es que el próximo lunes tengo un examen de español para extranjeros.

A. ¿Y hace mucho que estudias español?

B. Este es mi sexto año.

A. ¡Vaya! Entonces eso está controlado.

B. La verdad es que mi punto débil es la expresión oral.

A. ¿Por qué?

B. Porque me falta léxico.

A. ¿Y tu pronunciación?

B. Es buena. He estudiado con un método de pronunciación excelente.

A. Me alegro. ¿Y cómo es el examen?

B. Primero tengo que explicar el significado de un texto.

A. ¿Y después?

B. Luego tengo que hacer una exposición oral sobre un tema.

A. Seguro que tienes éxito.

B. Eso espero. Deséame suerte.

CAPÍTULO 22

4. **Página 156:** Dos vocales fuertes seguidas: 4. ca–ó–ti–co, 6. pa–sé–en–se, 11. o–a–sis. Diptongo: 1. pei–ne, 8. cuí–da–te, 10. co–méis. Triptongo: 2. U–ru–guay, 5. a–ve–ri–guáis, 7. buey. Ruptura del diptongo: 3. mí–a, 9. flú–or. Ruptura del triptongo: 12. ve–ní–ais.

6. **Página 157:** 1. mo–ne–de–ro, 2. ci–vi–li–za–do, 3. a–gui–jón, 4. sá–ba–do, 5. me–xi–ca–no, 6. ca–rre–ra, 7. pá–sa–lo, 8. a–zu–la–do, 9. re–ci–bi–mos.

8. **Página 158:** 1. cár–cel, 2. so–bre, 3. a–blan–dar, 4. in–men–so, 5. re–ac–ción, 6. En–ri–que, 7. lám–pa–ra, 8. gim–na–sia, 9. a–pla–za–do.

10. **Página 159:** 1. i–lus–tra–ción, 2. en–fren–tar, 3. obs–tá–cu–lo, 4. ins–ta–la–ción. Las demás palabras están bien.

12. **Página 160:** 2 consonantes entre vocales: 2. en–re–da–do, 5. sub–te–rrá–ne–o, 7. guar–da–rro–pa. 3 consonantes entre voca-

les: 1. en–tre–sue–lo, 3. claus–tro, 4. cons–ti–pa–da, 6. ex–tre–mo. 4 consonantes entre vocales: 8. abs–tra–er, 9. obs–tru–ye.

14. **Página 161:** 1. a–za–har, 2. re–hí–zo, 3. a–ho–ga–da, 4. a–ho–ra, 5. ahi–ja–do, 6. des–ha–bi–ta–da, 7. a–ho–rrar, 8. a–hí.

15. **Página 161:** 1. desheredado, 2. ahuevado, 3. rehabilitación, 4. enhorabuena.

CAPÍTULO 23

3. **Página 163:** 1. Quedó, 2. Quedo, 3. Explico, 4. Explicó, 5. Bailo, 6. Bailó, 7. Celebró, 8. Celebro.

5. **Página 163:** a) 1, 2, 3 b) 3, 2, 1 c) 2, 1, 3 d) 1, 2, 3 e) 1, 3, 2 f) 3, 2, 1.

7. **Página 164:** 1. estupendamente, 2. fácilmente, 3. inútilmente, 4. débilmente, 5. tímidamente, 6. tristemente, 7. rápidamente, 8. cortésmente, 9. alegremente, 10. difícilmente.

8. **Página 165:** 1. indestructible, 2. descapotable, 3. impresentable, 4. excelente.

9. **Página 165:** 1. jardín, 2. leemos, 3. innecesario, 4. ambulancia, 5. flores, 6. bajabais, 7. tráigamelo, 8. papel, 9. camiseta, 10. caer, 11. inscribir, 12. arréglamelo, 13. música, 14. europea, 15. origen, 16. salón.

10. **Página 166:** Otra vez se ha **empañado** el **cristal** de nuestro **catalejo**; nada se ve. **Limpiémoslo.** Ya está. **Enfoquémoslo** de nuevo hacia la **ciudad** y el **campo.** Allá en los **confines** del **horizonte**, aquellas lomas que **destacan** sobre el cielo **diáfano**, han sido como **cortadas** con un **cuchillo.**

12. **Página 167:** 1. cuidado, 2. domingo, 3. joven, 4. devuélvemelo, 5. músculo, 6. esperad, 7. atmósfera, 8. América, 9. búscamelo, 10. español, 11. dile, 12. invéntatelo, 13. váyase, 14. cuidaos, 15. fuego.

13. **Página 167:** Agudas: 6. esperad, 10. español. Llanas: 1. cuidado, 2. domingo, 3. joven, 11. dile, 14. cuidaos, 15. fuego. Esdrújulas: 5. músculo, 7. atmósfera, 8. América, 13. váyase. Sobreesdrújulas: 4. devuélvemelo, 9. búscamelo, 12. invéntatelo.

17. **Página 169:** Tono ascendente: 1. ladrón, 3. Ecuador, 5. autobús, 8. carnaval, 12. disfraz. Tono descendente: 4. dígaselo, 6. pájaros, 11. siempre, 13. Ángel, 15. pierna. Tono ascendente–descendente: 2. escalera, 7. gratuito, 9. semáforo, 10. católico, 14. acércala, 16. justicia.

19. **Página 170:** 1. mi maleta, 2. para la niña, 3. para quien entienda, 4. la alfombra, 5. lo que me dijo, 6. os lo perderán, 7. con nuestro amor, 8. sin problemas, 9. en cuanto se vaya.

21. **Página 170:** Recuerdo un viaje a Buenos Aires que terminó en Nueva York, otro a Lima que concluyó en Atenas y uno a Roma que finalizó en Berlín. Todos los aviones que tomo van a donde no deben, pero ya estoy acostumbrado porque con frecuencia salgo de casa hacia la oficina y me paso la mañana metido en sucesivos taxis que van y vienen sin que yo pueda aventurar una dirección exacta.

CAPÍTULO 24

1. **Página 171:** 1. López, 2. Félix, 3. Jesús, 4. Alfredo, 5. Úrsula, 6. Pedro, 7. Nieves, 8. Ezquerra.

2. **Página 171:** 1. francés, 2. inglés, 3. portugués, 4. aragonés, 5. japonés, 6. barcelonés.

3. **Página 172:** 1. cantar, canto, canté, cantaré; 2. jugar, juego, jugué, jugaré; 3. tener, tengo, tuve, tendré; 4. vivir, vivo, viví, viviré; 5. perder, pierdo, perdí, perderé; 6. salir, salgo, salí, saldré.

4. **Página 172:** 1. cantó, 2. estudiaré, 3. bajará, 4. vino, 5. vendrás,

6. dormí, 7. salí, 8. sacaré, 9. caerá, 10. pusiste, 11. miró, 12. saludó.

5. **Página 172:** 1. at<u>mó</u>sfera, 2. <u>cué</u>ntaselo, 3. <u>sín</u>toma, 4. bu<u>ró</u>crata, 5. ac<u>tor</u>, 6. a<u>yer</u>, 7. alma<u>cén</u>, 8. pa<u>rá</u>lisis, 9. auto<u>bús</u>, 10. <u>hé</u>roe, 11. o<u>cé</u>ano, 12. esca<u>le</u>ra.

6. **Página 173:** a) <u>jo</u>ven, <u>jó</u>venes; b) es<u>pé</u>cimen, espe<u>cí</u>menes; c) rebe<u>lión</u>, rebe<u>lio</u>nes; d) <u>ár</u>bol, <u>ár</u>boles; e) ca<u>rác</u>ter, carac<u>te</u>res; f) <u>ré</u>gimen, re<u>gí</u>menes.

7. **Página 173:** 1. útiles, 2. cantones, 3. líderes, 4. azúcares, 5. paredes, 6. serviciales, 7. papeles, 8. volúmenes. 9. gérmenes, 10. regímenes.

8. **Página 174:** 1. huracán, 2. caimán, 3. crimen, 4. estación, 5. sartén, 6. feliz, 7. balón, 8. reloj.

9. **Página 174:** a) ULTIMÁTUM DEL GOBIERNO A LAS EMPRESAS PETROLÍFERAS. b) MARATÓN DEL ESPECTÁCULO: DANZA, MÚSICA Y TEATRO DURANTE 24 HORAS.

10. **Página 174:** 1. d<u>eu</u>da, 2. soñ<u>áis</u>, 3. desp<u>ués</u>, 4. Guti<u>é</u>rrez, 5. m<u>ié</u>rcoles, 6. murci<u>é</u>lago, 7. v<u>ie</u>jo, 8. ra<u>ción</u>, 9. ten<u>éis</u>.

11. **Página 175:** 1. incl<u>ui</u>do, 2. incl<u>uís</u>, 3. v<u>iu</u>da, 4. r<u>ui</u>do, 5. d<u>iu</u>rno, 6. f<u>ui</u>mos, 7. L<u>ui</u>sa, 8. lingüística, 9. c<u>uí</u>date, 10. concl<u>uí</u>.

12. **Página 175:** 1. averig<u>üéis</u>, 2. acent<u>uáis</u>, 3. camb<u>iéis</u>, 4. esp<u>iéis</u>, 5. esqu<u>iáis</u>, 6. vac<u>iéis</u>.

13. **Página 175:** 1. país, 2. oíste, 3. frío, 4. bahía, 5. reímos, 6. sandía, 7. geografía, 8. transeúnte, 9. leído, 10. día.

14. **Página 175:** HABER. Pretérito imperfecto de indicativo: había, habías, había, habíamos, habíais, habían; Condicional simple: habría, habrías, habría, habríamos, habríais, habrían. TENER. Pretérito imperfecto de indicativo: tenía, tenías, tenía, teníamos, teníais, tenían; Condicional simple: tendría, tendrías, tendría, tendríamos, tendríais, tendrían. SALIR. Pretérito imperfecto de indicativo: salía, salías, salía, salíamos, salíais, salían; Condicional simple: saldría, saldrías, saldría, saldríamos, saldríais, saldrían.

15. **Página 176:** 1. Si quieres que se ponga contenta dile que sí. 2. Esta tarde te invitaré a tomar el té. 3. Mi padre no sabe nada de mi boda. 4. Yo no sé cómo se llama. 5. Tú tienes que sentarte en tu silla. 6. Me han dicho que Ana y él se conocieron en el cine.

16. **Página 176:** 1. el, 2. tu, 3. dé, 4. te / más, 5. Sé / tu, 6. té, 7. Mi / él, 8. mí.

17. **Página 177:** 1. ¿No fue aquél el que te lo dio? 2. Ésta no estaba esta tarde aquí. 3. Eso no se hace, eso no se dice. 4. Me he comprado esta camisa y estos pantalones, por eso ahora estoy sin dinero. 5. Ésta parece más grande, pero aquélla es mejor.

18. **Página 178:** 1. sólo, 2. Sólo / aún, 3. Aun. 4. aun. 5. solo, 6. Aún, 7. Sólo / solo.

19. **Página 178:** 1. interrogativo, 2. ninguno de los dos, 3. exclamativo, 4. interrogativo, 5. ninguno de los dos, 6. exclamativo, 7. ninguno de los dos, 8. interrogativo.

20. **Página 178:** 1. ¡Qué solo estás! 2. Vino sólo a verte. 3. Ese que tú me diste es el mejor. 4. ¿A que no sabes dónde vive? 5. Eso no le conviene a ésa. 6. No sabes cuánto cuesta hacerlo. 7. Cuanto tú quieras. 8. Nada más llegar me preguntó con quién había estado.

21. **Página 179:** 1. pa<u>ra</u>guas, 2. hazmerr<u>eír</u>, 3. saca<u>cor</u>chos, 4. portal<u>ám</u>paras, 5. punta<u>pié</u>, 6. ciem<u>piés</u>, 7. veinti<u>dós</u>, 8. corta<u>uñas</u>.

22. **Página 179:** 1. hispano–fran<u>cés</u>, 2. artístico–musi<u>cal</u>, 3. teórico–<u>prác</u>tico, 4. afro–asi<u>á</u>tico, 5. anglo–ale<u>mán</u>, 6. físico–<u>quí</u>mico, 7. chino–japo<u>nés</u>, 8. histórico–<u>crí</u>tico.

23. **Página 179:** 1. difí<u>cil</u>mente, 2. cier<u>ta</u>mente, 3. rápi<u>da</u>mente, 4. fi<u>nal</u>mente, 5. curio<u>sa</u>mente, 6. fe<u>liz</u>mente, 7. in<u>útil</u>mente, 8. estu<u>penda</u>mente.

24. **Página 180:** 1. d<u>a</u>me, 2. pí<u>de</u>selo, 3. dí<u>me</u>lo, 4. entre<u>gád</u>noslo, 5. há<u>zme</u>lo, 6. sen<u>tán</u>dose, 7. ex<u>plí</u>caselo, 8. di<u>rí</u>jase.

25. **Página 180:** 1. tráemelas, 2. llámala, 3. viéndolo, 4. avísame, 5. quitártelo, 6. cómpramelos, 7. entrégaselo, 8. bébetela, 9. díselo, 10. oyéndote, 11. hazlo, 12. créeme.

26. **Página 180:** Elena tenía veintisiete años cuando fue a visitar la casa de su madre por primera vez, para presentarle a su novio, un capitán del ejército que llevaba un siglo rogándole que se casara con él.

27. **Página 180:** 1. prev<u>és</u>, 2. conv<u>én</u>, 3. sup<u>ón</u>, 4. interv<u>én</u>, 5. prev<u>í</u>, 6. posp<u>ón</u>, 7. prev<u>én</u>, 8. entrev<u>és</u>.

28. **Página 181:** 1. impón, 2. contravén, 3. supón, 4. retén, 5. dispón, 6. repón, 7. entretén, 8. detén, 9. intervén.

CAPÍTULO 25

2. **Página 183:** 1. El pasado invierno. 2. Me lo dio mi padre. 3. Siete elementos. 4. Vivo en un pueblo. 5. Porque me apetece. 6. Marta y Pablo se tumbaron.

3. **Página 183:** 1. No te muevas | y no te haré daño. 2. Déjalo, | no me hagas caso. 3. Si estoy equivocado, | demuéstremelo. 4. Sí, | si ya nos íbamos. 5. Cuando llegó a casa | se puso un batín. 6. Como nunca está | no se entera. 7. Diga usted, | doña Úrsula. 8. Bueno venga, | saca una baraja.

5. **Página 185:** 1. descendente, 2. descendente, 3. descendente, 4. ascendente, 5. ascendente, 6. descendente, 7. ascendente.

6. **Página 185:** a) 1, 2 b) 2, 1 c) 2, 1 d) 1, 2 e) 1, 2 f) 2, 1.

7. **Página 186:** 1. descendente, 2. horizontal, 3. ascendente, 4. ascendente, 5. horizontal.

8. **Página 187:** 1. ascendente, ascendente, 2. descendente, ascendente, 3. ascendente, descendente.

10. **Página 188:** 1. Por el <u>bos</u>que. 2. Con tal de que <u>ven</u>gas. 3. Después de co<u>mer</u>. 4. Por si lo <u>ven</u>des. 5. Todo el <u>a</u>ño. 6. Para que se ol<u>vi</u>den. 7. Pero si lo <u>sa</u>bes. 8. Donde te <u>vea</u>mos. 9. A través del <u>bos</u>que de pinos. 10. A lo largo del <u>a</u>ño próximo. 11. Con tal de que <u>ven</u>gas deprisa. 12. Para que no nos olvi<u>de</u>mos de ella. 13. Después de co<u>mer</u> la paella. 14. Pero si no lo <u>sa</u>bes. 15. Antes de que <u>ven</u>das. 16. Donde podamos <u>ver</u>te.

CAPÍTULO 26

3. **Página 191:** 1. Las campanas de la iglesia ↑ | suenan continuamente. ↓ 2. Mientras paseaba ↑ | miraba los edificios. ↓ 3. De haberlo sabido, ↑ | habría ido enseguida. ↓ 4. Entré en el bar ↑ | y saludé al camarero. ↓

4. **Página 191:**
1. Mi hermano pequeño ↑ | estudió Filosofía ↑ | en la
  1 1 3 1 1 2 1   1 1 3 1 1 1 21   1 1
Universidad de Barcelona. ↓
1 1 1 1 3 1 1 1 2 1
2. Me lo dijeron ayer ↑ | en casa de Dolores. ↓
  1 1 1 3 1 1 2   1 3 1 1 1 2 1
3. Viene a menudo ↑ | vestida de negro ↑ | y con un enorme
  3 1 1 1 2 1   1 3 1 1 2 1   1 1 1 1 2 1
bolso. ↓
  3 1
4. Desde la ventana ↑ | la vi salir en un descapotable. ↓
  1 1 1 1 2 1   1 2 1 3 1 1 1 1 1 2 1

7. **Página 192:** 1. Algunos alumnos,→ | aunque estaban en silencio, ↑ | pensaban lo mismo. ↓ 2. La luna,→ | saliendo de entre las nubes, ↑ | comienza a iluminar la sala. ↓ 3. Cualquier otro niño,→ | asustado por la oscuridad, ↑ | hubiera salido corriendo. ↓ 4. En el tejado de mi casa,→ | sobre la chimenea, ↑ | hay un nido de cigüeñas. ↓

229

10. **Página 193:**

1. Lo que tú sabes ↑ | –dijo la rubia– ↓ | no nos sirve de nada. ↓

2. Cuando ocurrió el crimen ↑ | (se defendió el acusado) ↓ | yo estaba en el extranjero. ↓

3. En mi opinión ↑ | –se adelantó a decir el presidente– ↓ | hay una falta de interés. ↓

4. Querido público ↑ | (se atrevió a decir el presentador) ↓, | la función se ha suspendido. ↓

5. Hace unos años ↑ | –aseguraba la anciana– ↓ | la vida era más fácil en este pueblo. ↓

11. **Página 194:** 1. No comió arroz,→ | aunque le gustaba, ↑ | por miedo a engordar. ↓

2. El novio de la enferma,→ | bajo la luz de una bombilla, ↑ | esperaba en silencio. ↓ 3. Noemí estaba de pie,→ | con las manos cruzadas, ↑ | atenta al discurso. ↓ 4. Nosotros ↑ | (decía don Pascual) ↓ | ya hemos terminado nuestra obra. ↓ 5. Lo único que espero ↑ | –se le cortaba la voz a José Luis– ↓ | es que me entiendan. ↓ 6. María y Encarna,→ | una frente a la otra, ↑ | se contaban su aventura. ↓

12. **Página 194:** Oración complementaria explicativa: 1. No comió arroz, aunque le gustaba, por miedo a engordar. 2. El novio de la enferma, bajo la luz de una bombilla, esperaba en silencio. 3. Noemí estaba de pie, con las manos cruzadas, atenta al discurso. 6. María y Encarna, una frente a la otra, se contaban su aventura. Paréntesis: 4. Nosotros (decía don Pascual) ya hemos terminado nuestra obra. 5. Lo único que espero –se le cortaba la voz a José Luis– es que me entiendan.

14. **Página 195:**

1. Era enero, ↓ | hacía frío, ↓ | anochecía, ↓ | teníamos
  3 1 1 2 1   1 31 21   1 1 1 21   1 31 1
hambre. ↓
  2 1

2. Gané fama, ↓ | dinero, ↓ | sabiduría. ↓
  1 3 2 1   12 1   1 1 1 21

3. Se veía un mar azul, ↓ | tranquilo, ↓ | infinito. ↓
  1 1 31 1 2 11   2 1   1 1 2 1

4. Plantó unos árboles altos, ↓ | de grandes troncos, ↓ | con
  1   3 1 1 2 11 2 1   1 2 1 3 1   1
muchas hojas. ↓
  1 1 2 1

5. Se acercó, ↓ | la miró a los ojos, ↓ | le tomó la mano, ↓ | la
  1 1 1 2   1 1 3 1 1 2 1   1 1 3 1 2 1   1
besó despacio. ↓
  1 3 1 2 1

17. **Página 196:** 1. Treinta días trae noviembre, ↑ | como abril, ↑ | junio ↑ | y septiembre. ↓

2. Mayo hortelano, ↑ | mucha paja ↑ | y poco grano. ↓

3. Mi casa, ↓ | mi misa ↑ | y mi doña Luisa ↓ .

4. Oír, ↓ | ver ↑ | y callar. ↓

18. **Página 197:**

1. El sol es mi padre ↓   la luna es mi madre ↓
   y las estrellitas ↑   son mis hermanas. ↓

2. Cuando yo me muera, ↑   enterradme con mi guitarra→
bajo la arena. ↓   Cuando yo me muera ↑
entre los naranjos ↑   y la hierbabuena. ↓

19. **Página 197:**

1.   Yo te he nombrado reina. ↓
       Hay más altas que tú, ↓ más altas. ↓
       Hay más puras que tú, ↓ más puras. ↓
       Hay más bellas que tú, ↓ hay más bellas. ↓
       Pero tú eres la reina. ↓

2.   Por una mirada,→ | un mundo; ↓

por una sonrisa,→ un cielo; ↓
por un beso...i→ yo no sé
qué te diera por un beso! ↓

21. **Página 199:**

–Vamos, ↓ | no pierdas tiempo, ↓ |
ponte un abrigo. ↓ | | |

Cogió del armario unos cuantos vestidos ↑ | y se
los echó al brazo. ↓ | | Me sacudió un poco ↓ | porque yo no
reaccionaba; ↓ | | casi me arrastró hasta la puerta; ↓ | | allí
me dijo,→ | con un gesto cariñoso: → | |

Ahora, ↑ | silencio: ↓ | | ya hablaremos tú y yo. ↓ | | |

Bajamos por la escalerilla del mirador, ↑ | porque mi
tío había dejado el coche→ | junto a la puerta de detrás. ↓ | |
No encontramos a nadie a nuestro paso; ↓ | | nos
metimos en el coche ↑ | y echamos a andar hacia
Valladolid. ↓ | | | Podría dar por terminado el relato. ↓ | | Estamos
ya en el mes de marzo. ↓ | | Han pasado cinco meses ↑ |
y mi vida en este tiempo→ | me es tan ajena como la de
cualquier vecino de la ciudad, ↓ | | cuyo idioma
casi desconozco. ↓ | | |

CAPÍTULO 27

2. **Página 201:** Ascendente: 1, 2 y 4. Descendente: 3, 5 y 6.

4. **Página 201:** 1. ¿Tienes hora? 2. ¿Me ayudas?

3. ¿Entiendes? 4. ¿Me escribirás? 5. ¿Viajas mucho?

6. **Página 202:** 1. ¿Ha llegado Juan? 2. ¿Come mucho tu perro? 3. ¿Está cerrada la oficina? 4. ¿Se vende esta casa? 5. ¿Se ha estropeado el grifo? 6. ¿Suena el teléfono?

9. **Página 203:** 1. ¿Puedo hacerle una pregunta, señora? 2. ¿Qué hora es, mamá? 3. ¿Me oye, oiga? 4. ¿Me acompañas, cariño? 5. ¿Me lo dejas, Teresa?

11. **Página 204:** 1. ¿No te he dicho una y mil veces ↓ | que no juegues por aquí con la pelota? ↑ 2. ¿Te acuerdas de aquel día de verano ↑ | que estábamos en la playa ↓ | y se perdió el niño? ↓ 3. ¿Tiene usted una pieza de metal ↓ | con una pequeña rosca ↓ | que sirve para sujetar esto? ↑ 4. ¿Has visto por aquí encima ↓ | un libro con tapas rojas? ↑

14. **Página 206:** 1. ¿Cómo estás? 2. ¿Dónde va? 3. ¿Cómo es? 4. ¿Cuánto vale? 5. ¿Quién se ha ido? 6. ¿Con quién te encontraste?

15. **Página 206:** 1. Cuando lo veas, ¿qué le dirás? 2. Entonces, ¿de dónde sacarás el dinero? 3. Perdone, ¿a qué hora pasa el tren? 4. Carmen, ¿tú cuál prefieres? 5. Oiga, por favor, ¿quién es usted?

17. **Página 207:** Frases interrogativas parciales pronunciadas con

cortesía: ¿qué desea?, ¿de qué número?, ¿cómo le están?, ¿cuánto valen?

19. Página 208: 1. ¿Dónde te vas? / A hacer un viaje espacial. / ¿Dónde dices? 2. ¿Cuál te gusta? / El más feo. / ¿Cuál dices? 3. ¿Cómo lo haces? / Lo hago sin mirar. / ¿Cómo dices? 4. ¿Cuándo te irás? / Dentro de cinco años. / ¿Cuándo dices? 5. ¿Dónde vives? / En el Polo Norte. / ¿Dónde dices?

20. Página 208:

1
–¿Qué es poesía? ↓ –dices mientras clavas
en mi pupila tu pupila azul–. ↓
¿Qué es poesía? ↑ ¿Y tú me lo preguntas? ↑
Poesía... → eres tú... ↓

2
Opina un civilizado. ↓
¿Cómo? ↓ Con sus aviones. ↓
¿O es ↑ la influencia del Hado? ↓
¿Son tierra y cielo espejos? ↑
Opina un desconocido. ↓

¿Cómo? ↓ Con una pistola. ↓
¿Cae un hombre malherido? ↑
Opina un color: ↓ el blanco. ↓
¿Cómo? ↓ Con algunas balas. ↓
¿El negro ha de ser el blanco? ↑
Opina un gobierno fuerte. ↓
¿Cómo? ↓ Con tanque en la calle. ↓
Muerte, ↓ muerte, ↓ muerte, ↓ muerte. ↓

22. Página 210:

FÉLIX.– ¿Qué ↑ es lo que más

le gusta a usted de la Costa? ↓ |

SILVIA.– El azul del cielo de Montecarlo. ↓ |

FÉLIX.– ¿Y a ti? ↑ |

RAMÓN.– El verde de las mesas del Casino. ↓ |

FÉLIX.– ¿Pierdes? ↑ |

RAMÓN.– Gano. ↓ |

FÉLIX.– Y eso, ↓ | ¿có ↑ mo se hace? ↓

RAMÓN.– Es muy fácil: ↓ | me llevo conmigo a Silvia, → |

que, automáticamente, ↑ | empieza a timarse con todos los

que brujulean por los salones, ↓ | y entonces, yo, ↓ |

aprovechando el refrán de → | "desgraciado en amores, → |

afortunado en el juego", ↑ | apunto y me hincho. ↓ | |

La ganancia es infalible. ↓ |

FÉLIX.– Pero → | ¿y si te la quita alguien? ↑ |

RAMÓN.– ¿La ganancia? ↑ |

FÉLIX.– No. ↓ | A Silvia. ↓ |

RAMÓN.– ¡Hombre! ↓ | Si me la quitasen, ↑ | ¡triplicaba un pleno! ↓ |

SILVIA.– ¿Habrá imbécil? ↑ | | |

CAPÍTULO 28

5. Página 214: Entonación afirmativa: 2. Demasiado, 4. Siempre, 9. Gigante, 12. Algo. Entonación interrogativa: 5. ¿Espantoso?, 6. ¿Luego?, 10. ¿Entonces?, 11. ¿Ya? Entonación exclamativa: 1. ¡Bárbaro!, 3. ¡Caballero!, 7. ¡Niña!, 8. ¡Fuerte!

7. Página 215: 1. ¡Esta es mi mejor canción! ↓ 2. ¡Todo va a salir bien! ↑ 3. ¡Está guapísima tu hija! ↑ ↓ 4. ¡Él es mi peor enemigo! ↓ 5. ¡Jamás he visto nada igual! ↑ 6. ¡Nada es lo mismo sin ti! ↓
9. **Página 215:** a) ¿Ya no te acuerdas de mí? b) ¡Jamás me lo perdonará!

10. Página 216: 1. Ya te lo he dicho: ↓ | ¡nada de armas! ↓ 2. ¡Basta de hacer el tonto! ↓ | –gritó enfadado. ↓ 3. ¡Felicidades! ↓ | –dijeron todos–. ↓ | ¡Lo has conseguido! ↓ 4. Y el público coreaba: → | ¡otra!, ↓ | ¡otra!, ↓ | ¡otra! ↓ 5. ¡Bien dicho! ↓ | ¡Sí señor! ↓ | ¡Así se habla! ↓

14. Páginas 217-218:
1. ¡Tó ↑ mame ahora que aún es temprano
y que tengo rica de nardos la mano! ↓
Hoy y no más tarde. ↓ Antes que anochezca
y se vuelva mustia la corola fresca. ↓
Hoy, ↑ y no mañana. ↓ ¡Oh amante!, ↑
¿no ves que la enredadera crecerá ciprés? ↑

2 Yo fui un soldado que durmió en el lecho
de Cleopatra la reina. ↓ Su blancura
y su mirada astral omnipotente. ↓
Eso fue todo. ↓

¡Oh mirada! ↑ ¡oh ↑ blancura! ↓ y ¡oh ↑ aquel lecho
en que estaba radiante la blancura! ↓
¡oh ↑ la rosa marmórea omnipotente! ↓
Eso fue todo. ↓

Y crujió su espinazo por mi brazo; ↓
y yo, → liberto, ↑ hice olvidar a Antonio ↓
(¡oh el lecho ↑ y la mirada y la blancura!) ↓
Eso fue todo. ↓

17. Página 219:
–¿Eso es justo, ↓ | Petrita ↑ ? | | |

–No, ↓ | señorito, ↓ | no lo es. ↓ | |

–¡Ay, ↑ hija! ↓ | ¡Si ↑ no fuera porque tú
me endulzas un poco esta bazofia! ↓ | |

Petrita se pone colorada. ↓ | |

–Anda, ↓ | deme la lata, ↓ | que hace frío. ↓ | |

–¡Hace frío para todos, ↑ | desgraciada! ↓ | |

–Usted perdone... ↓ | |

Martín reacciona en seguida. ↓ | |

–No me hagas caso. ↓ ¿Sabes que estás ya hecha una

mujer? ↑ | |

- Ande, → | cállese. ↓ | |

–¡Ay ↑, hija, ya me callo! ↓ | | ¿Sabes lo que yo te daría, ↓ | si
tuviera menos conciencia? ↑ | |

–Calle. ↓ | |

–¡Un buen susto! ↑ | |

–¡Calle! ↓ | | |

231